D1274624

Amadas crianças, Amélia,
John e Thomaz.

Estamos muito alegres com a
vinda dessa linda família ao
nosso Condomínio Villeneuve, e
sintam-se bem vindos.
Deixo essa pequena lembrança,
e aproveito para dese jar-lhes
muita saúde, paz e alegrias.
E que Deus possa morar em
seus corações sempre
　　　　Com carinho
　　　Wilmar e Margid Ulrich
　　　　Nov/2016

Minha Bíblia
de Atividades

Sociedade Bíblica do Brasil
Barueri, SP

Missão da Sociedade Bíblica do Brasil:
Promover a difusão da Bíblia e sua mensagem como instrumento de transformação e desenvolvimento integral do ser humano.

Texto em inglês:
Renée Gray-Wilburn, Marsha Maxfield Hall,
Jan Kershner, Janna Kinner,
Julie Lavender, Barbie Murphy,
Karen Pennington, Janet R. Reeves,
Elaine Ernst Schneider, Donna K. Simcoe,
Courtney Walsh e Dana Wilkerson

Tradução:
Lilian Jenkino

Ilustrações:
Paige Billin-Frye e Jane Yamada,
representadas por Portfolio Solutions, LLC

Edição originalmente publicada em inglês sob o título
My First Hands-On Bible
© 2011 Group Publishing
Minha Bíblia de Atividades
© 2013 Sociedade Bíblica do Brasil

Texto extraído da Nova Tradução na Linguagem de Hoje
© 2000 Sociedade Bíblica do Brasil
Av. Ceci, 706 — Tamboré, Barueri, SP — CEP 06460-120
Caixa Postal 330 — CEP 06453-970
www.sbb.org.br — 0800-727-8888

Edição, diagramação e capa:
Sociedade Bíblica do Brasil

ISBN 978-85-311-1139-6
Impresso no Brasil
NTLH63PMBA - 15.000 - 2015

Sumário

Novo Testamento

Como usar a Minha Bíblia de Atividades

Bem-vindo à **Minha Bíblia de Atividades!** Você e seu filho (ou seus alunos) vão percorrer a Palavra de Deus juntos de maneira divertida e alegre enquanto leem as páginas desta Bíblia. Vocês poderão se aprofundar nas histórias bíblicas ao realizar as atividades propostas durante ou após a leitura, o que fará com que a Bíblia se torne parte da vida da criança.

Texto bíblico acessível

Minha Bíblia de Atividades é especial porque traz o texto bíblico numa linguagem atual e de fácil compreensão. A Nova Tradução na Linguagem de Hoje (NTLH) é indicada a leitores de todas as idades por conta de sua clareza. Ouvir as Escrituras nessa versão será uma experiência inigualável para a criança. Como enfatizado em 2Timóteo 3.16: "Toda a Escritura Sagrada é inspirada por Deus e é útil para ensinar a verdade, condenar o erro, corrigir as faltas e ensinar a maneira certa de viver." Desse modo, com esta Bíblia, a criança poderá ouvir as palavras inspiradas por Deus numa linguagem acessível a ela.

As histórias bíblicas foram sintetizadas a fim de oferecer um texto mais apropriado às crianças em idade pré-escolar. No entanto, pode acontecer de ocasionalmente surgir uma palavra ainda desconhecida para a criança. Caso isso ocorra, pare e ajude a criança a entender o que está acontecendo no texto bíblico que você está lendo para ela. Ou, depois de ler a passagem, peça à criança que conte o que aconteceu na história e se encarregue de preencher as lacunas (ou seja, as partes incompreendidas para ela) com suas próprias palavras, de modo a tornar claro o episódio bíblico.

Atividades práticas

Durante a leitura, você encontrará marcas de mão coloridas no texto bíblico. Ao encontrar uma marca de mão, interrompa a leitura do texto bíblico e oriente a criança a realizar a atividade correspondente. Tais atividades foram escritas para você ler em voz alta para a criança. Você verá a criança se envolver na passagem bíblica através de movimentos, representações, brincadeiras ou se divertindo com as atividades práticas, o que fará com que a Bíblia se torne um livro dinâmico para ela!

[Observação: as marcas de mão servem para ajudar a criança a vivenciar a história bíblica que ela está ouvindo. Para algumas crianças, pode ser mais proveitoso parar a leitura e realizar cada atividade no ponto indicado do texto bíblico, enquanto outras podem se beneficiar com a leitura da história completa, voltando em seguida para realizar as atividades propostas.]

Hora de orar e Vamos conversar

Toda história termina com uma oração que torna pessoal a mensagem bíblica. As perguntas para reflexão vão ajudá-los a descobrir como a Bíblia une a vida de vocês. Faça as orações e converse com a criança sobre as questões propostas a fim de ajudar a tornar a leitura da Bíblia mais significativa. Essas atividades são uma ótima maneira de você interagir com a criança enquanto vocês exploram juntos o significado do texto que acabaram de ver.

Pipoca e Tapioca

As crianças vão amar esses dois bichinhos divertidos, que vão orientá-las em muitas descobertas.

O esperto canguru Pipoca está presente todas as vezes que for a hora de orar.

Já a criativa ovelhinha Tapioca aparece nas atividades de cada história. Esses dois personagens lúdicos ajudarão a criança a se familiarizar com os textos bíblicos e certamente contribuirão para fazer da leitura bíblica um momento de aprendizado muito divertido!

Atividades

Cada história bíblica traz atividades: 1) a ser aplicadas tais como sugeridas, em se tratando de pais e filhos, no ambiente do lar; 2) a ser adaptadas, quando necessário, em se tratando de educadores e alunos, no ambiente da sala de aula.

As atividades são simples e muitas pedem coisas bem familiares à rotina dos pequenos, com o objetivo de fazer da Bíblia realidade integrante da vida da criança.

Leia as atividades (quando necessário, adapte-as à sua maneira) e planeje um momento adequado para realizá-las com a criança. Você pode optar por fazer as duas atividades propostas em cada história ou apenas uma, dependendo de sua disponibilidade. Cada atividade tem por objetivo reforçar a mensagem bíblica para a criança.

Conexão com Jesus

Toda passagem termina com a "Conexão com Jesus". A criança vai ver que Jesus é o centro de toda a Bíblia, mesmo nas histórias que não o mencionam. E saberá que Jesus faz parte da nossa vida

CONEXÃO COM Jesus

também. Assim, faça das "Conexões" uma grande oportunidade de ensinar à criança sobre a presença de Jesus em toda a Bíblia.

Querido pai ou educador, agradecemos por escolher a **Minha Bíblia de Atividades**, a fim de partilhá-la com seus filhos ou alunos. Deus vai usá-lo para trazer a Palavra dele para o dia a dia de vocês à medida que a percorrem juntos!

Deus faz

Gênesis 1

No começo Deus criou os céus e a terra. A terra era um vazio, sem nenhum ser vivente, e estava coberta por um mar profundo. A escuridão cobria o mar, e o Espírito de Deus se movia por cima da água.

Então Deus disse:

— Que haja luz!

E a luz começou a existir. Deus viu que a luz era boa e a separou da escuridão.

Então Deus disse:

— Que haja no meio da água uma divisão para separá-la em duas partes!

E assim aconteceu. Deus fez uma divisão que separou a água em duas partes: uma parte ficou

Cubra os olhos por alguns segundos e imagine como a terra se parecia.

o mundo

do lado de baixo da divisão, e a outra parte ficou do lado de cima. Nessa divisão Deus pôs o nome de "céu".

Aí Deus disse:

— Que a água que está debaixo do céu se ajunte num só lugar a fim de que apareça a terra seca!

E assim aconteceu.

Apague e acenda a luz enquanto você diz: — Que haja luz!

Agache-se como se você fosse uma pequena semente e depois vá se levantando até se tornar uma árvore bem grandona.

Deus pôs na parte seca o nome de "terra" e nas águas que se haviam ajuntado ele pôs o nome de "mares". E Deus viu que o que havia feito era bom. Em seguida ele disse:

— Que a terra produza todo tipo de vegetais, isto é, plantas que deem sementes e árvores que deem frutas!

E assim aconteceu.

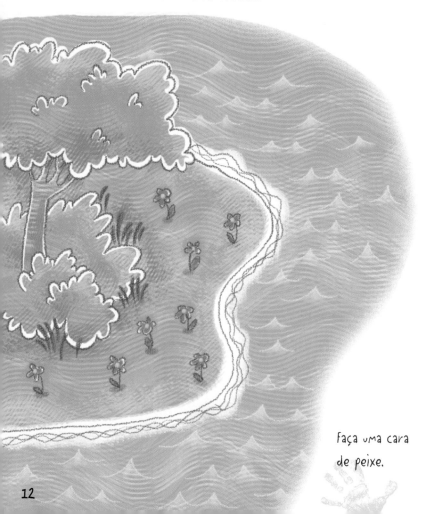

Faça uma cara de peixe.

Deus fez
as duas gran-
des luzes: a maior
para governar o dia
e a menor para governar
a noite. E fez também as estrelas.

Depois Deus disse:

— Que as águas fiquem cheias de todo tipo
de seres vivos, e que na terra haja aves
que voem no ar!

Assim Deus criou os grandes monstros do
mar, e todas as espécies de seres vivos que
em grande quantidade se movem nas águas,
e criou também todas as espécies de aves. E
Deus viu que o que havia feito era bom.

Vamos desenhar um sol e uma lua. Depois, vamos cantar uma música que fale do sol e da lua.

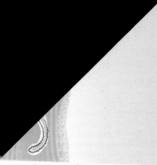

...s fez os animais, cada um de acordo com a ...pécie: os animais domésticos, os selvagens ...ue se arrastam pelo chão. E Deus viu que o ...avia feito era bom.

Imite o animal de que você mais gosta.

CONEXÃO COM Jesus

A Bíblia diz que Deus criou tudo que existe com a participação do seu Filho, Jesus.

Vamos conversar

- Dentre as coisas que Deus fez, qual é a sua favorita?
- Se pudesse mudar uma coisa que Deus fez, o que você mudaria?

Querido Deus, obrigado por fazer um mundo tão maravilhoso para nós. Nós amamos esse mundo e também amamos o Senhor! Em nome de Jesus, amém.

O canguru Pipoca diz:
– É hora de orar!

Observando as nuvens

Olhe para o céu a fim de encontrar nuvens de formatos que se pareçam com animais para você. Deus fez todas essas nuvens e todos os animais que você imaginou!

Uma nova criação

Ajude a criança a desenhar alguns animais imaginários. Depois, conversem sobre os animais que ela desenhou e os que Deus criou.

A ovelhinha Tapioca diz:
– Vamos usar a imaginação!

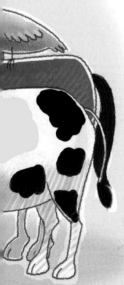

15

Deus

Deus disse:

— Agora vamos fazer os seres humanos, que serão como nós, que se parecerão conosco. Eles terão poder sobre os peixes, sobre as aves, sobre os animais domésticos e selvagens e sobre os animais que se arrastam pelo chão.

Assim Deus criou os seres humanos; ele os

Observe sua imagem num espelho. Deus nos fez parecidos com ele!

faz as pessoas

Gênesis 1.26—2.25

criou parecidos com Deus. Ele os criou homem e mulher e os abençoou, dizendo:

— Tenham muitos e muitos filhos; espalhem-se por toda a terra e a dominem. E tenham poder sobre os peixes do mar, sobre as aves que voam no ar e sobre os animais que se arrastam pelo chão.

Imite um peixe nadando, um pássaro voando e depois caminhe como um animal pelo chão.

Depois o SENHOR disse:

— Não é bom que o homem viva sozinho. Vou fazer para ele alguém que o ajude como se fosse a sua outra metade.

Depois que o SENHOR Deus formou da terra todos os animais selvagens e todas as aves, ele os levou ao homem para que pusesse nome neles. E eles ficaram com o nome que o homem lhes deu. Ele pôs nomes nas aves e em todos os animais domésticos e selvagens. Mas

Se pudesse dar um nome diferente para os leões, que nome você daria? E para os elefantes? Que nomes você inventaria?

para Adão não se achava uma ajudadora que fosse como a sua outra metade.

Faça sons como se você estivesse dormindo profundamente!

Então o SENHOR Deus fez com que o homem caísse num sono profundo. Enquanto ele dormia, Deus tirou uma das suas costelas e fechou a carne naquele lugar. Dessa costela o SENHOR formou uma mulher e a levou ao homem.

Então o homem disse: "Agora sim! Esta é carne da minha carne e osso dos meus ossos. Ela será chamada de 'mulher' porque Deus a tirou do homem."

Você consegue sentir suas costelas? Conte quantas você tem!

É por isso que o homem deixa o seu pai e a sua mãe para se unir com a sua mulher, e os dois se tornam uma só pessoa.

CONEXÃO COM Jesus

Deus nos fez parecidos com ele, mas não iguaizinhos a ele. Só Jesus é exatamente como Deus!

Hora da rima

Repitam juntos estas rimas e façam os movimentos sugeridos entre parênteses:

Deus criou as pessoas: *(coloquem a mão na cabeça um do outro)*

estas, essas e aquelas. *(apontem para si mesmos, um para o outro e para fora)*

Deus criou as pessoas, *(coloquem a mão na cabeça um do outro)*

ele criou todas elas! *(apontem para fora e girem em círculo)*

Projetos pessoais

Criem figuras humanas com massinha de modelar. Depois, conversem sobre como Deus criou de maneira especial cada pessoa da família de vocês.

Vamos conversar

- Como podemos cuidar da terra criada por Deus?
- O que Deus fez de especial em você?

Querido Deus, o Senhor é maravilhoso! Obrigado por nos fazer parecidos com o Senhor, para que sejamos como o Senhor é. Em nome de Jesus, amém.

O pecado de

Gênesis 3.1-7

Faça de conta que você é uma cobra. Você consegue se movimentar sem usar os braços e as pernas?

A cobra era o animal mais esperto que o SENHOR Deus havia feito. Ela perguntou à mulher:

— É verdade que Deus mandou que vocês não comessem as frutas de nenhuma árvore do jardim?

Quantos tipos diferentes de frutas você pode encontrar nestas duas páginas?

A mulher respondeu:

— Podemos comer as frutas de qualquer árvore, menos a fruta da árvore que fica no meio do jardim. Deus nos disse que não devemos co-

Adão e Eva

mer dessa fruta, nem tocar nela. Se fizermos isso, morreremos.

Mas a cobra afirmou:

— Vocês não morrerão coisa nenhuma! Deus disse isso porque sabe que, quando vocês comerem a fruta dessa árvore, os seus olhos se abrirão, e vocês serão como Deus, conhecendo o bem e o mal.

Feche os olhos e, depois, abra-os bem.

A mulher viu que a árvore era bonita e que as suas frutas eram boas de se comer. E ela pensou como seria bom ter entendimento. Aí apanhou uma fruta e comeu; e deu ao seu marido, e ele também comeu. Nesse momento os olhos dos dois se abriram, e eles perceberam que estavam nus. Então costuraram umas folhas de figueira para usar como tangas.

Cite as peças de roupa que você está vestindo.

O canguru Pipoca diz:
— É hora de orar!

Querido Deus, por favor, nos ajude a fazer escolhas boas e a fazer o que é certo quando tivermos de escolher entre o bem e o mal. Em nome de Jesus, amém.

Vamos conversar

- Quais são as regras a que você tem de obedecer?
- O que acontece quando você não obedece às regras?
- Que coisas você pode fazer para obedecer às regras de Deus?

CONEXÃO
com Jesus

Excursão pelas plantas

Convide a criança para observar vários tipos de plantas, incluindo as frutíferas, os legumes e as verduras, bem como algumas plantas decorativas. Ajude-a a dizer se cada planta pode ou não ser comida. Conversem sobre como as regras de Deus nos mantêm em segurança.

As regras de casa

Ajude seu filho a preparar uma lista com as regras de casa. Ao completar uma semana, conversem sobre quais regras foram mais difíceis para ele seguir e por que aquelas regras são importantes.

A ovelhinha Tapioca diz:
– Vamos encontrar plantas!

Como Adão e Eva, nós às vezes fazemos coisas erradas e nos sentimos mal. A boa notícia é que Jesus nos perdoa sempre!

Noé tinha seiscentos anos de idade quando as águas do dilúvio cobriram a terra. No dia dezessete do segundo mês, se arrebentaram todas as fontes do grande mar, e foram abertas as janelas do céu, e caiu chuva sobre a terra durante quarenta dias e quarenta noites.

Nesse mesmo dia, Noé e a sua mulher entraram na barca junto com os seus filhos Sem, Cam e Jafé e as suas mulheres. Com eles entraram animais de todas as espécies: os domésticos e os selvagens, os que se arrastam pelo chão e as

Vamos fazer barulho de chuva! Primeiro, esfregue as duas mãos, palma com palma. Depois, bata palmas devagar e baixinho. Agora, bata palmas mais rápido e mais alto. Por último, bata as mãos no colo, bem alto.

e o dilúvio

Gênesis 7.6-20

Ande como
um elefante,
pule como
um canguru
e corra como
um leão.

aves. Todos os animais entraram com Noé na barca, de dois em dois. ✋ Entraram machos e fêmeas de cada espécie, de acordo com o que Deus havia mandado Noé fazer. ✋ Aí o SENHOR fechou a porta da barca.

Que animais você está vendo nesta página? Que som eles emitem?

27

O dilúvio durou quarenta dias. A água subiu e levantou a barca, e ela começou a boiar. A água foi subindo, e a barca continuou a boiar. A água subiu tanto, que cobriu todas as montanhas mais altas da terra. E depois ainda subiu mais sete metros.

CONEXÃO COM Jesus

Noé salvou os animais ao colocá-los na barca.

O canguru Pipoca diz:
- É hora de orar!

Querido Deus, nós sabemos que o Senhor pode nos ajudar a fazer coisas difíceis, como fez Noé. Ajude-nos a confiar no Senhor quando acontecerem coisas tristes na nossa vida. Em nome de Jesus, amém.

Vamos conversar

- Para você, o que é difícil de fazer às vezes?
- Como Deus pode ajudar você?

Safári

Durante a semana, chame a atenção da criança para observar os animais e conversem sobre todos os animais que Deus protegeu dentro da barca de Noé. Reflita sobre situações em que uma família pode confiar em Deus para manter seus membros em segurança.

A ovelhinha Tapioca diz:
- Vamos fazer um safári!

Brincando de barca

Dê à criança uma pequena vasilha de plástico que possa flutuar numa bacia com água. Se você tiver bichinhos de plástico ou borracha, coloque-os dentro da vasilha. Enquanto isso, peça à criança que tente imitar os sons dos animais que estão flutuando na barca. Fale sobre como Noé confiou em Deus enquanto esteve na barca e como nós também podemos confiar em Deus.

E Deus enviou alguém para nos salvar: Jesus!

O arco-íris da promessa de Deus

Gênesis 8—9

Deus lembrou de Noé e de todos os animais que estavam com ele na barca. Deus fez com que um vento soprasse sobre a terra, e a água começou a baixar.

Assopre bem forte para fazer uma ventania.

Deus também disse a Noé e aos seus filhos:

— Agora vou fazer a minha aliança com vocês, e com os seus descendentes,

Quais cores você está vendo no desenho do arco-íris?

e com todos os animais que saíram da barca e que estão com vocês, isto é, as aves, os animais domésticos e os animais selvagens, sim, todos os animais do mundo. Eu faço a seguinte aliança com vocês: prometo que nunca mais os seres vivos serão destruídos por um dilúvio. E nunca mais haverá outro dilúvio para destruir a terra. Como sinal desta aliança que estou fazendo para sempre com vocês e com todos os animais, vou colocar o meu arco nas nuvens. O arco-íris será o sinal da aliança que estou fazendo com o mundo. Quando eu cobrir de nuvens o céu e aparecer o arco-íris, então eu lembrarei da aliança que fiz

Faça um arco-
-íris juntando
seus dedos.

Assopre em seu arco-
-íris de dedos para
nos lembrar de que
Deus cumpre a promessa
que fez, mesmo quando
surgem as tempestades
e as ventanias.

com vocês e com todos os animais. E assim não haverá outro dilúvio para destruir todos os seres vivos. Quando o arco-íris aparecer nas nuvens, eu o verei e lembrarei da aliança que fiz para sempre com todos os seres vivos que há no mundo. O arco-íris é o sinal da aliança que estou fazendo com todos os seres vivos que vivem na terra.

Erga os braços
com os dedos em
forma de arco-íris
e agradeça a Deus
por sua promessa
para conosco.

CONEXÃO
COM Jesus Eis outra promessa que Deus fez:

Pesquisa no supermercado

Quando você for ao supermercado, peça à criança que observe as cores das embalagens de alimentos. Ao sair, incentive-a a se lembrar das cores que vocês viram e diga:

— Deus cumpre sua promessa para com todos os seres vivos!

A luz do arco-íris

Ilumine o lado espelhado de um CD ou DVD com uma lâmpada, lanterna ou mesmo um raio de sol, fazendo com que suas cores se reflitam numa parede clara. Identifique as cores que vocês estão vendo. Ou "crie" uma chuva e um arco-íris no quintal com um jato d'água de mangueira bem fraco. Conversem sobre a promessa que Deus fez e que cumpre até hoje.

Vamos conversar

- Você já fez alguma promessa?
- Fale de alguma ocasião em que alguém cumpriu uma promessa feita a você.

O canguru Pipoca diz:
— É hora de orar!

Querido Deus, obrigado por fazer promessas e por cumpri-las. Obrigado por prometer estar sempre conosco. Em nome de Jesus, amém.

ele nos perdoa porque Jesus morreu por nossos pecados.

A torre de Babel

Gênesis 11.1-9

As pessoas se mudaram para outro lugar, onde ficaram morando. Caminhe ao redor da sala e depois se sente.

Naquele tempo todos os povos falavam uma língua só, todos usavam as mesmas palavras. Alguns partiram do Oriente e chegaram a uma planície em Sinar, onde ficaram morando.

Um dia disseram uns aos outros:

— Vamos, pessoal! Vamos fazer tijolos queimados!

Faça de conta que você está fabricando tijolos! Primeiro, você tem de fazer de conta que está cavando o chão para retirar barro e depois colocá-lo dentro de fôrmas. Depois, desenforme e empilhe os tijolos.

Assim, eles tinham tijolos para construir, em vez de pedras, e usavam piche, em vez de massa de pedreiro.

Aí disseram:

— Agora vamos construir uma cidade que tenha uma torre que chegue até o céu. Assim ficaremos famosos e não seremos espalhados pelo mundo inteiro.

Então o SENHOR desceu para ver a cidade e a torre que aquela gente estava construindo. O SENHOR disse assim:

— Essa gente é um povo só, e todos falam uma só língua. Isso

Erga-se de pé o mais alto que conseguir.

Conte até três
em espanhol:
uno, dos, tres!

que eles estão fazendo é apenas o começo. Logo serão capazes de fazer o que quiserem. Vamos descer e atrapalhar a língua que eles falam, a fim de que um não entenda o que o outro está dizendo.

Assim, o SENHOR os espalhou pelo mundo inteiro, e eles pararam de construir a cidade. A cidade recebeu o nome de Babel, pois ali o SENHOR atrapalhou a língua falada por todos os moradores da terra e dali os espalhou pelo mundo inteiro.

Faça de conta que você é um povo que está se espalhando pelo mundo inteiro. Você tem de correr para um lugar que eu apontar!

CONEXÃO COM Jesus

As pessoas dessa história não conseguiriam chegar

O canguru Pipoca diz:
– É hora de orar!

Querido Deus, às vezes achamos que podemos fazer tudo que queremos sem a sua ajuda. Por favor, nos ensine a pedir a sua ajuda para fazer aquilo que lhe agrada. Em nome de Jesus, amém.

Torre sem controle

Peça para a criança construir uma torre com algum tipo de material (blocos de brinquedo, copos descartáveis, almofadas etc.) sem nenhum tipo de ajuda. Aproveite a ocasião em que a torre desmoronar para falar que as pessoas dessa história bíblica eram orgulhosas e achavam que não precisavam da ajuda de Deus. Converse sobre como é importante pedir a Deus para nos ajudar.

Um prato diferente

A ovelhinha Tapioca diz:
– Vamos experimentar!

Nesta semana, convide sua família para saborear um prato da cozinha de outro país (pode ser um quibe árabe ou uma macarronada italiana, por exemplo). Fale sobre as diferenças entre o seu e os outros países. Ore para que as pessoas dos diferentes países possam saber que Deus as ama.

Vamos conversar

- Você gosta de fazer tudo sozinho?
- Em que Deus pode ajudar você nesta semana?

a Deus construindo uma torre. Mas nós podemos ir até ele confiando em Jesus para perdoar os nossos pecados.

A promessa de

Gênesis 15 e 17

Veja quantas estrelas você consegue contar nesta página.

Abrão teve uma visão, e nela o SENHOR lhe disse:

— Abrão, não tenha medo. Eu o protegerei de todo perigo e lhe darei uma grande recompensa. Olhe para o céu e conte as estrelas se puder. Pois bem! Será esse o número dos seus descendentes.

Quando Abrão tinha noventa e nove anos, o SENHOR Deus apareceu a ele e disse:

— Eu sou o Deus Todo-Poderoso. Viva uma vida de comunhão comigo e seja obediente a

Deus a Abraão

mim em tudo. Eu farei a minha aliança com você e lhe darei muitos descendentes.

Então Abrão se ajoelhou, encostou o rosto no chão, 🖐 e Deus lhe disse:

— Eu faço com você esta aliança: prometo que você será o pai de muitas nações. Daqui em diante o seu nome será Abraão e não Abrão, pois eu vou fazer com que você seja pai de muitas nações. 🖐 Farei com que os seus descendentes

Deite-se com o rosto virado para baixo, como fez Abrão.

Diga seu nome completo.

Deus prometeu amar a família de Abraão e fazer dela uma grande família. Diga o nome de algumas pessoas que você conhece que amam a Deus. Todas elas pertencem à família de Abraão!

sejam muito numerosos, e alguns deles serão reis. A aliança que estou fazendo para sempre com você e com os seus descendentes é a seguinte: eu serei para sempre o Deus de você e o Deus dos seus descendentes.

O canguru Pipoca diz:
- É hora de orar!

Vamos conversar

- O que as pessoas fazem para mostrar que amam você?
- O que Deus faz para mostrar que ama você?

Querido Deus, obrigado por cumprir sua promessa de amar Abraão e a família dele. Ajude-nos a amá-lo e a confiar no Senhor como Abraão o fez. Em nome de Jesus, amém.

CONEXÃO
COM**Jesus**  Deus cumpriu a

Aclamação à promessa

Durante a semana, repita estes versos com seu filho enquanto você estiver dirigindo ou caminhando a algum lugar:

Promessas, promessas,
Deus cumpre suas promessas!
Deus cumpre sua promessa
de me amar
(de me ajudar,
de me perdoar,
de me ensinar)!

A ovelhinha Tapioca diz:
– Vamos recitar!

Estrelas incontáveis

Aproveite uma noite agradável para levar a família a um passeio ao ar livre, ou, se você for educador, fazer um *acampadentro* com seus alunos. Peça à criança para contar quantas estrelas ela conseguir. Fale sobre como Deus prometeu a Abraão tantos descendentes quanto as estrelas do céu, e que Deus também prometeu amar todos eles.

promessa que fez a Abraão. E Deus vai cumprir a promessa que fez a nós também: se crermos em Jesus, viveremos com ele no céu.

Isaque

De acordo com a sua promessa, o SENHOR Deus abençoou Sara. Ela ficou grávida e, na velhice de Abraão, lhe deu um filho. O menino nasceu no tempo que Deus havia marcado, e Abraão pôs nele o nome de Isaque.

Pegue uma boneca ou um bichinho de pelúcia e segure-o como seguraria um bebê.

nasce

Gênesis 21.17

Bata palmas
100 vezes.

Quando Isaque tinha oito dias, Abraão o circuncidou, como Deus havia mandado. Quando Isaque nasceu, Abraão tinha cem anos.

Então Sara disse:

— Deus me deu motivo para rir. E todos os que ouvirem essa história vão rir comigo.

43

E disse também:

— Quem diria a Abraão que Sara daria de mamar? No entanto, apesar de ele estar velho, eu lhe dei um filho.

Sara riu porque estava contente. Dê uma risada de pura alegria!

CONEXÃO
com Jesus Deus nos deu o melhor presente quando

O canguru Pipoca diz:
- É hora de orar!

Querido Deus, o Senhor deu um bebê para Sara, e isso a deixou muito feliz. Ajude-nos a ficar felizes e a lhe agradecer quando o Senhor nos der presentes. Em nome de Jesus, amém.

Vamos conversar

- Quais foram as melhores coisas que Deus lhe deu?
- Quais são as coisas que você quer que Deus lhe dê?

Lindos bebês

A ovelhinha Tapioca diz:
- Vamos encontrar bebês!

Observe os bebês nesta semana. Quando seu filho vir um bebê, converse com ele sobre o presente de Deus para Sara. Falem também sobre as coisas que Deus deu a vocês.

Presentes de Deus

Com a ajuda da criança, aponte para coisas em sua casa que tenham sido presentes de Deus. Explique como cada uma delas é um presente de Deus e agradeça a ele por todas elas.

nos entregou Jesus, que nos ama, nos ajuda e nos perdoa.

Jacó

Passe a mão num bichinho de pelúcia para saber como era Esaú quando bebê.

Chegou o tempo de Rebeca dar à luz, e ela teve dois meninos. O que nasceu primeiro era vermelho e peludo como um casaco de pele; por isso lhe deram o nome de Esaú. O segundo nasceu agarrando o calcanhar de Esaú

engana Esaú

Gênesis 25.24-34

com uma das mãos, e por isso lhe deram o nome de Jacó. Isaque tinha sessenta anos quando Rebeca teve os gêmeos.

Agarre o seu calcanhar.

Os meninos cresceram. Esaú gostava de viver no campo e se tornou um bom caçador. Jacó, pelo contrário, era um homem sossegado, que gostava de ficar em casa. Isaque amava mais Esaú porque gostava de comer da carne dos animais que ele caçava. Rebeca, por sua vez, preferia Jacó.

Um dia, quando Jacó estava cozinhando um ensopado, Esaú chegou do campo, muito cansado, e foi dizendo:

Mostre qual é sua atividade favorita fora de casa. E agora mostre qual é sua atividade favorita dentro de casa.

— Estou morrendo de fome. Por favor, me deixe comer dessa coisa vermelha aí. (Por isso puseram em Esaú o nome de Edom.)

Jacó respondeu:

— Sim, eu deixo; mas só se você passar para mim os seus direitos de filho mais velho.

Esaú disse:

— Está bem. Eu estou quase morrendo; que valor têm para mim esses direitos de filho mais velho?

— Então jure primeiro — disse Jacó. — Esaú fez um juramento e assim passou a Jacó os seus direitos de filho mais velho.

Mostre como você fica quando está cansado e com fome.

49

Aí Jacó lhe deu pão e o ensopado. Quando Esaú acabou de comer e de beber, levantou-se e foi embora. Foi assim que ele desprezou os seus direitos de filho mais velho.

CONEXÃO COM Jesus

A troca que Jacó fez com Esaú foi por interesse. Mas Jesus fez uma boa troca com você: ele entregou a própria vida para que você pudesse viver para sempre com ele.

Hora do jantar

Nesta semana, prepare um cozido em casa, como uma sopa de carne com legumes, ou um lanche especial para os alunos. Sempre observando com atenção, deixe que a criança ajude na preparação. Agradeça a Deus por lhes oferecer os alimentos e as demais coisas de que sua família precisa.

A ovelhinha Tapioca diz:
- Vamos preparar o alimento!

Quer trocar?

Pegue uma bola de papel amassado e o brinquedo favorito da criança. Dê a bola de papel a ela enquanto você segura o brinquedo. Pergunte à criança qual dos dois é melhor; depois pergunte se ela quer trocar com você. Explique que a troca que Jacó fez com Esaú era semelhante a essa, ou seja, uma coisa era muito melhor que a outra! O filho mais velho tinha direitos especiais, e isso era muito melhor que um prato de ensopado!

O canguru Pipoca diz:
- É hora de orar!

Vamos conversar

- O que você faz quando quer algo que não tem?
- O que Deus quer que você faça quando precisar de alguma coisa?

Querido Deus, ajude-me a não enganar as pessoas como Jacó enganou. E faça com que eu seja sábio para usar os presentes que o Senhor me dá, sem ser imprudente como foi Esaú. Em nome de Jesus, amém.

A túnica

Jacó ficou morando na terra de Canaã, onde o seu pai tinha vivido. Esta é a história da família de Jacó. Quando José era um jovem de dezessete anos, cuidava das ovelhas e das cabras, junto com os seus irmãos, os filhos de Bila e de Zilpa, que eram mulheres do seu pai. E José contava ao pai as coisas erradas que os seus irmãos faziam.

Jacó já era velho quando José nasceu e por isso ele o amava mais do que a todos os seus outros filhos. Jacó mandou fazer para José uma

Faça de conta que você é pastor de ovelhas. Escolha alguns bichos de pelúcia e leve-os para dar uma volta pela sala, como se eles estivessem pastando.

colorida de José

Gênesis 37.1-4

Usando o dedo indicador, faça o sinal de "não".

túnica longa e colorida, de mangas compridas.

 Os irmãos viam que o pai amava mais a José do que a eles e por isso tinham ódio dele e eram grosseiros quando falavam com ele.

Quais cores você está vendo na túnica de José? Qual é a sua cor favorita?

CONEXÃO COM Jesus Jacó amava José e deu a ele uma túnica.

O canguru Pipoca diz:
- É hora de orar!

Querido Deus, o Senhor nos deu coisas maravilhosas. Por favor, ajude-nos a ficar contentes quando outras pessoas ganharem presentes também. Em nome de Jesus, amém.

Vamos conversar

- Fale de alguns presentes que as pessoas lhe deram.
- E quais foram os presentes que sua irmã (ou irmão, amigo) ganhou?

A ovelhinha Tapioca diz:
- Vamos experimentar casacos!

Vestindo-se

Peça a seu filho que experimente alguns casacos usados pela família. Conversem sobre as cores de cada casaco. Agradeça a Deus por dar roupas para a sua família vestir.

Colar colorido

Mostre à criança como usar canetas hidrográficas coloridas (ou tinta) para pintar macarrões crus. Depois, demostre como enfiar os macarrões num barbante para fazer um colar. Sugira que ela dê o colar para alguém e que conte a história bíblica do presente de José (ajude-a, se for necessário).

Deus nos ama e nos enviou um presente especial: Jesus.

Os irmãos de José

Gênesis 37.23-36

Quando José chegou ao lugar onde os seus irmãos estavam,  eles arrancaram dele a túnica longa, de mangas compridas, que ele estava vestindo. Depois o pegaram e o jogaram no poço, que estava vazio e seco. E sentaram-se para comer. De repente, viram que ia passando uma caravana de ismaelitas que vinha de Gilea-de e ia para o Egito. Os seus camelos

Conte quantos eram os irmãos mais velhos de José nesta ilustração.

estavam carregados
de perfumes e de espe-
ciarias. Aí Judá disse
aos irmãos:

— O que vamos ganhar
se matarmos o nosso irmão
e depois escondermos a sua
morte? Em vez de o matarmos,
vamos vendê-lo a esses ismaelitas.
Afinal de contas ele é nosso irmão, é do
nosso sangue.

Os irmãos concordaram. Quando alguns negociantes midianitas passaram por
ali, os irmãos de José o tiraram do poço e o
venderam aos
ismaelitas por

Faça de conta
que você está
montado num ca-
melo e cavalgue
pela sala como os
negociantes que
iam para o Egito.

Faça de conta que você está num poço bem fundo e precisa de ajuda para sair.

vinte barras de prata. E os ismaelitas levaram José para o Egito.

Quando Rúben voltou ao poço e viu que José não estava lá dentro, rasgou as suas roupas em sinal de tristeza. Ele voltou para o lugar onde os seus irmãos estavam e disse:

Encene uma expressão triste por não encontrar José.

— O rapaz não está mais lá! E agora o que é que eu vou fazer?

Enquanto isso, os midianitas venderam José a Potifar, oficial e capitão da guarda do rei do Egito.

CONEXÃO COM Jesus

Quando sentirmos raiva, podemos conversar com Jesus e ele nos ajudará a fazer o que é certo.

Vamos conversar

A ovelhinha Tapioca diz:
– Vamos conversar sobre sentimentos!

- O que faz você ficar furioso?
- O que você acha que Deus quer que você faça quando se sentir furioso ou frustrado?

Calma!

Durante a semana, se a criança se mostrar furiosa ou frustrada, diga: "Calma! Vamos conversar sobre o que você está sentindo." Peça à criança para descrever seus sentimentos e conte-lhe como Deus gostaria que nos comportássemos quando estamos nos sentindo dessa maneira.

Quadro de oração

Faça um cartaz com um quadrado para cada dia da semana e com o título "Hoje estou me sentindo…". Incentive a criança a preencher o quadro todos os dias com uma ilustração que mostre as emoções dela. Fale sobre os sentimentos dos irmãos de José e como Deus pode nos ajudar a fazer o que é certo, independentemente do que estamos sentindo.

O canguru Pipoca diz:
– É hora de orar!

Querido Deus, obrigado porque podemos nos aproximar do Senhor a qualquer momento, mesmo quando sentimos raiva. Por favor, ajude-nos a confiar no Senhor e a fazer o que é certo. Em nome de Jesus, amém.

José perdoa

Gênesis 42 e 45

Faça uma reverência como os irmãos de José: ajoelhe-se e encoste o rosto no chão.

Como governador do Egito, era José quem vendia cereais às pessoas que vinham de outras terras. Quando os irmãos de José chegaram, eles se ajoelharam na frente dele e encostaram o rosto no chão. Logo que José viu os seus irmãos, ele os reconheceu, mas fez de conta que não os conhecia. E lhes perguntou com voz dura:

— Vocês, de onde vêm?

seus irmãos

— Da terra de Canaã — responderam. — Queremos comprar mantimentos.

José não conseguiu mais controlar a sua emoção diante dos seus empregados, de modo que gritou:

— Saiam todos daqui!

Por isso nenhum dos empregados estava ali quando José contou aos irmãos quem ele era. Ele começou a chorar tão alto, que os egípcios ouviram, e a notícia chegou até o palácio do rei.

Faça de conta que você está chorando.

 José disse aos irmãos:

— Eu sou José. O meu pai ainda está vivo?

Quando os irmãos ouviram isso, ficaram tão assustados, que não puderam responder nada. E José disse:

— Cheguem mais perto de mim, por favor.

Eles chegaram, e ele continuou:

— Eu sou o seu irmão José, aquele que vocês venderam a fim de ser trazido para o Egito. Agora não fiquem tristes nem aborrecidos com vocês mesmos por terem me vendido a fim de ser trazido para cá. Foi para salvar vidas que Deus me enviou na frente de vocês. Já houve dois anos de fome no mundo, e ainda haverá mais cinco anos em que ninguém vai preparar a terra, nem colher. Deus me enviou na frente

Faça de conta que você está colhendo uma plantação e em seguida não acha mais nada.

de vocês a fim de que ele, de um modo maravilhoso, salvasse a vida de vocês aqui neste país e garantisse que teriam descendentes. Portanto, não foram vocês que me mandaram para cá, mas foi Deus. Ele me pôs como o mais alto ministro do rei. Eu tomo conta do palácio dele e sou o governador de todo o Egito.

Então, ainda chorando, José abraçou e beijou cada um dos seus irmãos. Depois disso os irmãos começaram a falar com ele.

No mapa abaixo, percorra com o dedo o caminho que José seguiu do poço até o Egito.

CONEXÃO COM Jesus   Assim como José perdoou os irmãos,

Vamos conversar

- Fale sobre uma ocasião em que alguém magoou você.
- Como você pode perdoar alguém que o entristeceu?

Querido Deus, ajude-nos a ser como José e a perdoar as pessoas que dizem e fazem coisas que nos magoam. Em nome de Jesus, amém.

Conversa à mesa

Nesta semana, quando estiver jantando com sua família, fale sobre como José ajudou os irmãos a obter comida. Depois, pensem em maneiras de mostrar amor àqueles que fizeram coisas ruins a vocês.

O canguru Pipoca diz:
- É hora de orar!

Jogo dos dedos

Expresse perdão brincando com o jogo dos dedos. Curve seu dedo indicador e diga: "Estou muito arrependido. Não queria ter magoado você." Ajude a criança a fazer o sinal de positivo, erguendo o dedo polegar e contraindo os demais dedos, e responder: "Eu perdoo você!" Depois, entrelace seus dedos com os da criança, dando um "abraço de dedos". Usem o jogo durante a semana quando um de vocês precisar pedir desculpas e ser perdoado.

A ovelhinha Tapioca diz:
- Vamos perdoar!

Jesus vai nos perdoar por qualquer coisa que tenhamos feito de errado se lhe pedirmos perdão.

Deus protege

Um homem e uma mulher da tribo de Levi casaram. A mulher ficou grávida e deu à luz um filho. Ela viu que o menino era muito bonito e então o escondeu durante três meses. Como não podia escondê-lo por mais tempo, ela pegou uma cesta de

Moisés

Êxodo 2.1-10

junco, tapou os buracos com betume e piche, pôs nela o menino e deixou a cesta entre os juncos, na beira do rio. A irmã do menino ficou de longe, para ver o que ia acontecer com ele.

Faça de conta que você está dentro de uma cesta no rio, balançando para frente e para trás.

67

A filha do rei do Egito foi até o rio e estava tomando banho enquanto as suas empregadas passeavam ali pela margem. De repente, ela viu a cesta no meio da moita de juncos e mandou que uma das suas escravas fosse buscá-la. A princesa abriu a cesta e viu um bebê chorando. Ela ficou com muita pena dele e disse:

— Este é um menino israelita.

Mostre como um bebê chora.

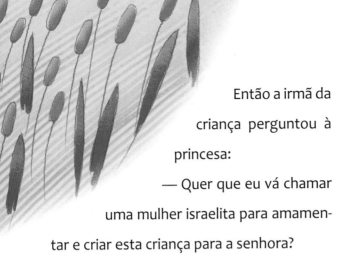

Então a irmã da criança perguntou à princesa:

— Quer que eu vá chamar uma mulher israelita para amamentar e criar esta criança para a senhora?

— Vá — respondeu a princesa.

Então a moça foi e trouxe a própria mãe do menino. Aí a princesa lhe disse:

— Leve este menino e o crie para mim, que eu pagarei pelo seu trabalho.

A mulher levou o menino e o criou.

Use uma boneca ou um bichinho de pelúcia para mostrar como você cuidaria de um bebê.

Várias pessoas cuidaram de Moisés. Cite duas ou três pessoas que o amam e cuidam de você.

Quando ele já estava grande, ela o levou à filha do rei, que o adotou como filho. Ela pôs nele o nome de Moisés e disse:

— Eu o tirei da água.

CONEXÃO com Jesus

Deus cuidou de Moisés quando ele era bebê. Deus também cuidou do menino Jesus para que ele pudesse crescer e nos ajudar todos os dias!

Navegando no rio

Nesta semana, deixe que a sua banheira se transforme no rio Nilo, onde a princesa encontrou Moisés. Se não houver uma banheira disponível, use uma bacia. Coloque um brinquedo de plástico dentro de uma tigela e deixe que a criança brinque com o "bebê Moisés" no rio. Fale sobre como Deus cuidou de Moisés e como ele cuida de nós.

A ovelhinha Tapioca diz:
– Vamos brincar de barco!

Vamos cantar

Usando uma melodia conhecida, cante os seguintes versos com a criança:

**Deus cuida de mim
cada minuto do dia.
E nele eu confio, sim,
dia e noite, noite e dia.**

O canguru Pipoca diz:
– É hora de orar!

Vamos conversar

- O que as pessoas fazem para cuidar de você?
- Fale de uma situação em que alguém o ajudou quando você estava com medo ou triste.

Querido Deus, obrigado por enviar pessoas para cuidar de Moisés. Obrigado por enviar pessoas para me amar e cuidar de mim também! Em nome de Jesus, amém.

Moisés e o espinheiro

Êxodo 3.1-10

Moisés cuidava das ovelhas e das cabras de Jetro, o seu sogro, o sacerdote de Midiã. Um dia Moisés levou o rebanho para o outro lado do deserto e foi até o monte Sinai, o monte sagrado. Ali o Anjo do SENHOR apareceu a ele numa chama de fogo no meio de um espinheiro. Moisés viu que o espinheiro estava em fogo, porém não se queimava. Então pensou: "Que coisa esquisita! Por que será que o espinheiro não se queima? Vou chegar mais perto para ver."

Imite as ovelhas e cabras de Moisés.

em chamas

Quando o Senhor Deus viu que Moisés estava chegando mais perto para ver melhor, ele o chamou do meio do espinheiro e disse:

— Moisés! Moisés!

— Estou aqui — respondeu Moisés.

Coloque as mãos ao redor da boca, como se fosse um megafone, e diga:
- Moisés! Moisés!

73

Tire os sapatos e as meias e caminhe como se estivesse pisando num lugar especial.

Deus disse:

— Pare aí e tire as sandálias, pois o lugar onde você está é um lugar sagrado.

E Deus continuou:

— Eu sou o Deus dos seus antepassados, o Deus de Abraão, o Deus de Isaque e o Deus de Jacó.

Cubra o rosto com as mãos.

Aí Moisés cobriu o rosto porque ficou com medo de olhar para Deus.

Então o SENHOR disse:

— Eu tenho visto como o meu povo está sendo maltratado no Egito; tenho ouvido o seu pedido de socorro por causa dos seus feitores. Sei o que estão sofrendo. Por isso desci para libertá-los do poder dos egípcios e para levá-los do Egito para uma terra grande e boa. É uma terra boa e rica, onde moram os cananeus, os heteus, os amorreus, os perizeus, os heveus e os jebuseus. De fato, tenho ouvido o pedido de socorro

faça de conta que você mora numa terra boa e rica, onde se pode comer e beber do bom e do melhor.

do meu povo e tenho visto como os egípcios os maltratam. Agora venha, e eu o enviarei ao rei do Egito para que você tire de lá o meu povo, os israelitas.

— Moisés! Moisés!

Brinque de seguir o líder comigo.

CONEXÃO COM Jesus

Um espinheiro em chamas era uma

76

Vamos conversar

- Quais são algumas das coisas que Deus quer que você faça? Quando é difícil para você obedecer?
- Por que Deus quer que você obedeça a ele?

Querido Deus, nos ensine a ouvir a sua voz. Por favor, ajude-nos a lhe obedecer e ir aonde o Senhor nos mandar. Em nome de Jesus, amém.

Espinheiro em chamas

Ajude a criança a desenhar um espinheiro numa cartolina e colar um pouco de grama sobre ele. Recorte tiras de papel laranja e vermelho e ajude a criança a colá-las no espinheiro, enquanto conversam sobre como Deus falou com Moisés do meio do espinheiro. Pendure o cartaz num lugar especial para que a criança se lembre da importância de ouvir a voz de Deus.

O canguru Pipoca diz:
– É hora de orar!

Brinque de "Seu mestre mandou"!

Numa noite, na hora de ir para a cama, brinque de "Seu mestre mandou". Enquanto ajuda seu filho a ir para a cama, vá falando as tarefas que ele deve realizar, alternando com outras divertidas [andar de costas; imitar um cachorro; bater palmas...]. Comece sempre com a frase: "Seu mestre mandou", ao que a criança deve responder: "Fazer o quê?" Lembre seu filho de que Deus nos dá coisas boas para fazer. Deus disse a Moisés o que fazer, e Moisés obedeceu à sua ordem. Nós também podemos obedecer a Deus!

A ovelhinha Tapioca diz:
– Vamos brincar de "Seu mestre mandou"!

coisa fantástica de se ver. Mas existe uma coisa ainda *mais* maravilhosa: Jesus ama você o tempo todo!

Deus divide o

Caminhe pela sala como se estivesse atravessando o mar em terra seca, com muralhas de água nos dois lados.

Moisés estendeu a mão sobre o mar, e Deus, o SENHOR, com um vento leste muito forte, fez com que o mar recuasse. O vento soprou a noite inteira e fez o mar virar terra seca. As águas foram divididas, e os israelitas passa-

mar Vermelho

Êxodo 14.21-29

ram pelo mar em terra seca, com muralhas de água nos dois lados. Os egípcios os perseguiram e foram atrás deles até o meio do mar com todos os seus cavalos, carros de guerra e cavaleiros. Logo antes de amanhecer, da

Faça de conta que você está fugindo do exército dos egípcios.

coluna de fogo e de nuvem o SENHOR olhou para o exército dos egípcios e fez com que eles ficassem apavorados. Os carros de guerra andavam com grande dificuldade, pois Deus fez com que as rodas ficassem atoladas. Então os egípcios disseram:

Agora fuja em outra direção.

— Vamos fugir dos israelitas! O SENHOR está lutando a favor deles e contra nós.

Então o SENHOR Deus disse a Moisés:

— Estenda a mão sobre o mar para que as águas voltem e cubram os egípcios, os seus carros de guerra e os seus cavaleiros.

Moisés estendeu a mão sobre o mar, e, quando amanheceu, o mar voltou ao normal. Os egípcios tentaram escapar das águas, porém o SENHOR os jogou dentro do mar. As águas voltaram e cobriram os carros de guerra, os cavaleiros e todo o exército egípcio que havia perseguido os israelitas no mar. E não

Estenda a mão o mais alto que você conseguir.

81

faça de conta que você é um dos soldados do rei do Egito que está tentando nadar para escapar das águas.

sobrou nenhum egípcio com vida. Mas os israelitas atravessaram o mar em terra seca, com muralhas de água nos dois lados.

CONEXÃO COM Jesus

Deus mostrou como ele é poderoso quando dividiu o mar Vermelho. E também quando trouxe Jesus de volta à vida!

Dividindo a água

Nesta semana, na hora do banho, dê uma bacia com água para seu filho brincar. Incentive-o a bater com força na superfície da água para tentar separá-la em duas partes. Lembre a criança de que, enquanto tudo o que podemos fazer são movimentos e bolhas na água, Deus foi capaz de dividir o mar, porque ele é muito mais forte e poderoso. Ele fez com que todo o mar Vermelho se dividisse em dois! *

A ovelhinha Tapioca diz:
- Vamos fazer bolhas!

*Se o contexto for a sala de aula, escreva essa atividade em cartões decorados e ofereça aos pais dos alunos, incentivando-os a realizá-la em casa com o filho. Esse tipo de adaptação pode ser aplicada a outras atividades no decorrer da Bíblia.

O mar dividido

Faça um pudim de baunilha usando corante alimentício azul. Quando estiver saboreando o doce com a criança (em casa ou na sala de aula), use colheres para criar "caminhos" que cruzem o pudim. Fale sobre o milagre de Deus de dividir o mar Vermelho.

O canguru Pipoca diz:
- É hora de orar!

Vamos conversar

- Quais são as pessoas que mantêm você em segurança?
- Que coisas maravilhosas o nosso Deus poderoso pode fazer?

Querido Deus, obrigado por nos manter em segurança. E ajude-nos a ver o quanto o Senhor é forte e poderoso. Em nome de Jesus, amém.

Os dez mandamentos

Êxodo 20

Deus disse para não fazermos coisas que mostrem desrespeito a ele. Faça que "não" com a cabeça três vezes.

Deus falou, e foi isto o que ele disse:

— Meu povo, eu, o SENHOR, sou o seu Deus. Eu o tirei do Egito, a terra onde você era escravo.

— Não adore outros deuses; adore somente a mim.

— Não faça imagens de nenhuma coisa que há lá em cima no céu, ou aqui embaixo na terra, ou nas águas debaixo da terra.

— Não use o meu nome sem o respeito que ele merece; pois eu sou o Senhor, o Deus de vocês, e castigo aqueles que desrespeitam o meu nome.

— Guarde o sábado, que é um dia santo. Faça todo o seu trabalho durante seis dias da semana; mas o sétimo dia da semana é o dia de descanso, dedicado a mim, o Senhor, seu Deus. Não faça nenhum trabalho nesse dia, nem você, nem os seus filhos, nem as suas filhas.

Cite duas coisas que você acha que Deus quer que façamos aos domingos.

Dê um abraço e prometa ouvir a pessoa que está lendo para você!

— Respeite o seu pai e a sua mãe, para que você viva muito tempo na terra que estou lhe dando.

— Não mate.

— Não cometa adultério.

— Não roube.

Sente-se em cima de suas mãos.

— Não dê testemunho falso contra ninguém.

— Não cobice a casa de outro homem. Não cobice a sua mulher, os seus escravos, o seu gado, os seus jumentos ou qualquer outra coisa que seja dele.

Pratique falar a verdade agora mesmo. Cite uma característica positiva de um amigo.

Estas são as dez regras de Deus, também conhecidas como os dez mandamentos. Conte até dez com os dedos.

CONEXÃO COM Jesus   Deus quer que obedeçamos

Hora de cantar

Com a ajuda da criança, procure o número 10 em cartazes, revistas ou propagandas e recorte-os. Depois montem um quadro bem criativo! Ao finalizar, incentive as crianças a cantar ou recitar os versos:

Os mandamentos de Deus, são dez no total.

Sim, obedecerei a todos,

porque amo o Senhor Deus,porque amo o Senhor Deus.

A ovelhinha Tapioca diz:
- Vamos cantar!

Faça ou não faça

Brinque com o jogo dos mandamentos com a criança, no qual você pode dar comandos de "faça" como este: "Pule três vezes", e comandos de "não faça" como este: "Não ria". Lembre a criança que obedecer aos mandamentos de Deus nos auxilia a viver bem com ele e com as outras pessoas.

Vamos conversar

• De que formas você pode obedecer aos dez mandamentos?

• O que você acha que Deus gostaria que fizesse quando você quer desobedecer?

O canguru Pipoca diz:
- É hora de orar!

Querido Deus, ajude-nos a obedecer às suas regras e a respeitar o Senhor. Em nome de Jesus, amém.

aos seus mandamentos. Jesus obedeceu a Deus em tudo que fez!

Os doze

Números 13

Quantos espiões
você consegue
contar nestas
páginas?

O SENHOR
Deus disse a Moisés:

— Mande alguns ho-
mens para espionar a terra de
Canaã, a terra que eu vou dar aos israelitas.
Em cada tribo escolha um homem que seja líder.

Do deserto de Parã Moisés enviou os espiões,
de acordo com as ordens de Deus, o SENHOR. Todos eram chefes de tribos do povo de Israel.

espiões

Assim, os homens saíram e espionaram a terra desde o deserto de Zim até Reobe, perto da subida de Hamate. Depois
chegaram ao vale de Escol e ali cortaram um galho de uma

parreira com um cacho de uvas, que dois homens carregaram pendurado numa vara. Eles pegaram também romãs e figos.

Eles disseram a Moisés:

— Nós fomos até a terra aonde você nos enviou. De fato, ela é boa e rica, como se pode ver por estas frutas. Mas os que moram lá são fortes, e as cidades são muito grandes e têm muralhas. Além disso, vimos ali os descendentes dos gigantes. Os amalequitas moram na

Pule o mais alto que você conseguir. Um gigante é ainda mais alto que isso!

região sul da terra. Os heteus, os jebuseus e os amorreus moram nas montanhas. Os cananeus vivem perto do mar Mediterrâneo e na beira do rio Jordão.

Aí o povo começou a reclamar contra Moisés, mas Calebe os fez calar e disse:

— Vamos atacar agora e conquistar a terra deles; nós somos fortes e vamos conseguir isso!

Coloque as mãos na cintura para mostrar como você fica quando está bravo.

CONEXÃO COM Jesus Deus preparou um lugar para o povo de Israel.

Querido Deus, por favor, nos ajude quando sentirmos medo. Em nome de Jesus, amém.

Vamos conversar

- Quais lugares são assustadores para você?
- O que você pode dizer para Deus quando está num lugar desconhecido e sente medo?

O canguru Pipoca diz:
– É hora de orar!

Frutos fabulosos

Quando você for à feira nesta semana, procure observar as frutas com seu filho. Procure as frutas diferentes, como figos e romãs. Veja quais são as maiores frutas que vocês conseguem encontrar. Fale sobre como Deus colocou frutos grandes na terra onde um dia viveriam os israelitas. [Se o contexto for a sala de aula, adapte esta atividade com frutas plásticas.]

Descobertas

Faça de conta que você está vendo pela primeira vez seu quintal ou sua vizinhança, e descreva as coisas interessantes que está descobrindo. Fale sobre como os espiões exploraram a terra nova.

A ovelhinha Tapioca diz:
– Vamos investigar!

E Jesus está preparando um lugar especial para nós no céu!

A jumenta

Balaão se aprontou, pôs os arreios na sua jumenta e foi com os chefes moabitas.

Deus ficou irado porque Balaão foi. Balaão ia montado na sua jumenta, e dois dos seus empregados o acompanhavam. De repente, o Anjo do SENHOR se pôs na frente dele no caminho,

Imite a voz
da jumenta:
iiih-oooh!

falante

Números 22.21-31

para barrar a sua passagem. Quando a jumenta viu o Anjo parado no caminho, com a sua espada na mão, saiu da estrada e foi para o campo. Aí Balaão bateu na jumenta e a trouxe de novo para a estrada. Então o Anjo do SENHOR ficou numa parte

estreita do caminho, entre duas plantações de uvas, onde havia um muro de pedra de cada lado.  Quando a jumenta viu o Anjo, ela se encostou no muro, apertando o pé de Balaão. Por isso Balaão bateu de novo na jumenta. Depois o Anjo do SENHOR foi adiante e ficou num lugar mais estreito ainda, onde não havia jeito de se desviar nem para a direita nem para a esquerda. A jumenta viu o Anjo e se deitou no chão. Balaão ficou com tanta raiva, que surrou a jumen-

O anjo estava tentando barrar a passagem de Balaão. Fique de pé debaixo do batente da porta e tente me impedir de passar.

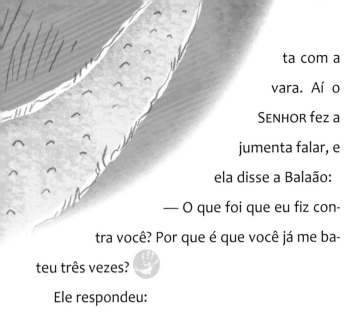

ta com a vara. Aí o SENHOR fez a jumenta falar, e ela disse a Balaão:

— O que foi que eu fiz contra você? Por que é que você já me bateu três vezes?

Ele respondeu:

— Foi porque você caçoou de mim. Se eu tivesse uma espada na mão, mataria você agora mesmo!

Então a jumenta disse a Balaão:

— Por acaso não sou a sua jumenta, em que você tem montado toda a sua vida? Será que tenho o costume de fazer isso com você?

— Não — respondeu ele.

O que você acharia se uma jumenta começasse a falar? Faça cara de espanto.

Aí o SENHOR Deus fez com que Balaão visse o Anjo, que estava no caminho com a espada na mão. Balaão se ajoelhou e encostou o rosto no chão.

CONEXÃO COM Jesus

Balaão finalmente fez aquilo que Deus queria. Jesus nos ensina como obedecer a Deus na mesma hora!

Jumenta de meia

Ajude a criança a encher uma meia velha com papel picado ou amassado. Na ponta, pregue um barbante para parecer um rabo. Deixe a criança decorar a meia para que fique parecida com uma jumenta deitada. Durante a semana, fale através da jumenta, como se ela estivesse falando, para ajudar a criança a se lembrar de obedecer.

A ovelhinha Tapioca diz:
– Vamos fazer uma jumenta!

A resposta

Use bichinhos de pelúcia para brincar de teatro. Você e a criança podem desempenhar os papéis de Balaão e da jumenta. Criem diálogos sobre os motivos que levaram Balaão a bater na jumenta. Depois, invertam os papéis. Conversem sobre como seria se os animais pudessem mesmo falar.

O canguru Pipoca diz:
– É hora de orar!

Vamos conversar

- Que coisas Deus nos diz para fazer?
- Por que é importante fazer o que Deus quer?

Querido Deus, ajude-nos a fazer o que é certo. Ajude-nos a ouvir o Senhor, a lhe obedecer e adorá-lo. Em nome de Jesus, amém.

A muralha

Josué 6

Os por-
tões da cidade de
Jericó estavam muito
bem fechados, para não
deixar que os israelitas entrassem.
Ninguém podia entrar, nem sair da cidade.

O Senhor Deus disse a Josué:

— Olhe! Eu estou entregando a você a cidade
de Jericó, o seu rei e os seus corajosos soldados.
Agora você e os soldados israelitas marcharão
em volta da cidade uma vez por dia, durante
seis dias. Na frente da arca da aliança, irão

Marche com os dedos em volta da muralha desta ilustração!

de Jericó

sete sacerdotes, cada um levando uma corneta de chifre de carneiro. No sétimo dia você e os seus soldados marcharão sete vezes em volta da cidade, e os sacerdotes tocarão as cornetas. Quando eles derem um toque longo, todo o povo gritará bem alto, e então a muralha da cidade cairá. Aí cada um avançará diretamente para a cidade.

Conte até sete.

Pronto para gritar bem alto? Vamos lá!

Então os sacerdotes tocaram as cornetas. Logo que o povo ouviu este som, gritou com toda a força, e a muralha caiu. Aí todos subiram, entraram na cidade e a tomaram.

Estique-se bem alto, como se você fosse uma muralha. Agora, caia no chão.

O canguru Pipoca diz:
- É hora de orar!

Vamos conversar

- Para que você precisa da ajuda de Deus neste momento?
- Quando é mais difícil obedecer?

Querido Deus, o Senhor fez uma coisa fantástica quando as pessoas lhe obedeceram e a muralha caiu. Obrigado por fazer coisas maravilhosas por nós quando lhe obedecemos também. Em nome de Jesus, amém.

CONEXÃO COM Jesus

Deus derrubou a muralha de Jericó

Muralha no chão

Com a ajuda da criança, construa uma muralha de blocos de brinquedo e marchem em volta dela sete vezes. Depois, deixe que a criança derrube a muralha. Lembre que Deus ajudou seu povo fazendo a muralha cair e que também vai ajudar vocês!

Parada de louvor

Mostre à criança como fazer uma corneta colocando as mãos ao redor da boca. Durante a semana, toque a sua "corneta de mãos" ao ver algo maravilhoso que Deus fez.

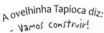

A ovelhinha Tapioca diz:
— Vamos construir!

para que seu povo pudesse entrar na cidade. Deus enviou Jesus para que pudéssemos confiar nele e entrar no céu!

Um sinal

Juízes 6

Fique de pé, bem reto, com as mãos na cintura, para parecer um super-herói.

O Anjo do SENHOR veio e sentou-se debaixo de um carvalho que havia perto do povoado de Ofra. Esse carvalho pertencia a Joás, que era da família de Abiezer. O seu filho, Gideão, estava malhando trigo no tanque de pisar uvas, escondido, para

para Gideão

que os midianitas não o encontrassem. Então o Anjo do SENHOR apareceu a ele e disse:

— Você é corajoso, e o SENHOR está com você!

Gideão respondeu:

— Se o SENHOR Deus está com o nosso povo, por que está acontecendo tudo isso com a gente? Onde estão aquelas coisas maravilhosas que os nossos antepassados nos contaram que o SENHOR costumava fazer quando nos trouxe do Egito? Ele nos abandonou e nos entregou aos midianitas.

Mostre seus músculos!

Então o SENHOR
Deus ordenou a Gi-
deão:

— Vá com toda a sua
força e livre o povo de Israel
dos midianitas. Sou eu quem está
mandando que você vá.

Gideão respondeu:

— Senhor, como posso libertar Israel? A minha família é a mais pobre da tribo de Manassés,
e eu sou a pessoa menos importante da minha
família.

Mas o SENHOR disse:

— Você pode fazer isso porque eu o ajudarei.
Você esmagará todos os midianitas como se eles
fossem um só homem.

Marche ao redor
da sala e pare
ao meu lado.

Então Gideão disse:

— Ó Deus, tu disseste que queres me usar para libertar o povo de Israel. Pois bem. Vou pôr um pouco de lã no lugar onde malhamos o trigo. Se de manhã o orvalho tiver molhado somente a lã, e o chão em volta dela estiver seco, então poderei ficar certo de que tu realmente me usarás para libertar Israel.

O que ele disse aconteceu. Na manhã seguinte Gideão se levantou, espremeu a lã, e dela saiu água que deu para encher uma tigela.

Torça um lençol ou uma toalha e faça de conta que dela está saindo água.

CONEXÃO
COM Jesus

Vamos conversar

- Que coisas você gostaria de fazer, mas que teria de ser bem forte para conseguir?
- O que Deus faz para você saber que ele está sempre ao seu lado?

Querido Deus, obrigado por estar sempre conosco e nos tornar fortes. Ajude-nos a ser fortes para o Senhor. Em nome de Jesus, amém.

Deus está aqui

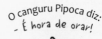

O canguru Pipoca diz:
– É hora de orar!

Nesta semana, toda vez que tiver oportunidade, diga ao seu filho:

— Deus está aqui! (em casa, num parque, numa loja, biblioteca, na escola etc.)

Fale da promessa de Deus de estar sempre com Gideão e de como Deus também está sempre conosco.

Esponjas molhadas

Na hora do banho, durante a semana, deixe algumas esponjas (ou toalhas de mão) por perto. Pergunte à criança sobre a lã que Gideão deixou no chão. Em seguida, dê-lhe as esponjas para que ele as molhe e depois torça, enquanto você fala sobre como Deus mostra que está conosco e nos ajuda.

A ovelhinha Tapioca diz:
– Vamos brincar!

Deus estava com Gideão. E Deus queria tanto estar conosco que enviou Jesus à terra!

Rute não

Com uma mala, dê passos largos em volta da sala, fazendo de conta que está se deslocando de Belém para Moabe.

No tempo em que Israel era governado por juízes, houve uma grande fome naquele país. Por isso um homem de Belém, cidade da região de Judá, foi com a sua mulher e os seus dois filhos morar por algum tempo num país chamado Moabe.  O nome desse homem era Elime-

abandona Noemi

Rute 1

leque, e o da sua mulher, Noemi. Os dois filhos se chamavam Malom e Quiliom. Essa família era de Efrata, um povoado que ficava perto de Belém de Judá. Eles foram para Moabe e ficaram morando ali. Algum tempo depois, Elimeleque morreu,

Aconteceram coisas tristes com Noemi. Faça cara de triste.

e Noemi ficou com os dois filhos, que casaram com moças moabitas. O nome de uma delas era Orfa, e o da outra, Rute. Quando já fazia quase dez anos que estavam morando ali, Malom e Quiliom também morreram. E Noemi ficou só, sem os filhos e sem o marido.

Um dia Noemi soube que o SENHOR tinha ajudado o seu povo, dando-lhe boas colheitas. Então ela se aprontou para sair de Moabe com as suas noras. Elas saíram a fim de voltar para Judá, mas no caminho Noemi disse às noras:

— Voltem para casa e fiquem com as suas mães. Que o SENHOR seja bom para vocês, assim como vocês foram boas para mim e para os falecidos!

Porém Rute respondeu:

— Não me proíba de ir com a senhora, nem me peça para abandoná-la! Onde a senhora for, eu irei; e onde morar, eu também morarei. O seu povo será o meu povo,

Andando bem devagarzinho, faça de conta que você está voltando para Belém.

Siga-me pela sala e caminhe como eu.

e o seu Deus será o meu Deus. Onde a senhora morrer, eu morrerei também e ali serei sepultada. Que o Senhor me castigue se qualquer coisa, a não ser a morte, me separar da senhora!

Como Noemi viu que Rute estava mesmo resolvida a ir com ela, não disse mais nada.

CONEXÃO COM Jesus

Rute acompanhou Noemi e adorou o Deus dela. Nós podemos seguir Jesus e adorá-lo!

Tempo de passear

Quando você sair nesta semana, seja de carro, ônibus ou trem, cite lugares onde você gosta de ir com a família. Converse sobre ficar perto da sua família e de Deus onde quer que você vá, exatamente como Rute ficou.

A ovelhinha Tapioca diz:
– Vamos dar um passeio!

História cantada

Escolha uma melodia conhecida para cantar os seguintes versos com a criança:

Rute ficou com Noemi. *(Mantenha os dois dedos indicadores levantados e separados.)*

Rute ficou com Noemi. *(Junte os dedos indicadores, lado a lado.)*

Noemi voltou para Belém. *(Mova o dedo indicador direito para frente.)*

Rute ficou com Noemi. *(Mova o dedo indicador esquerdo para encontrar o direito.)*

O canguru Pipoca diz:
– É hora de orar!

Vamos conversar

- De que formas você pode se mostrar prestativo para a sua família, como foi Rute?
- Quais são as coisas de que você mais gosta nos seus familiares?

Querido Deus, sabemos que é importante amar os nossos familiares. Ajude a nossa família a estar com o Senhor em todos os lugares a que nos levar. Em nome de Jesus, amém.

Boaz ajuda

Rute 2.15-22

Quando Rute se levantou para ir de novo catar espigas, Boaz ordenou aos empregados:

— Deixem que ela apanhe espigas até no meio dos feixes e não a aborreçam. Tirem também algumas espigas dos feixes e deixem cair para que ela possa apanhar. E não briguem com ela.

E assim Rute catou espigas no campo até de tarde. Depois debulhou os grãos das espigas que havia apanhado, e estes pesaram quase vinte e

Faça de conta que você está catando espigas, como fez Rute.

Rute

cinco quilos. Pegou a cevada, voltou para a cidade e mostrou à sua sogra o quanto havia catado. Também lhe deu a comida que tinha sobrado do almoço. Então Noemi perguntou:

Faça de conta que você está comendo seu prato predileto.

— Onde é que você foi catar espigas hoje? Onde foi que você trabalhou? Que Deus abençoe o homem que se interessou por você!

Aí Rute contou a Noemi que havia trabalhado na plantação de um homem chamado Boaz. E Noemi disse:

— Que o
Senhor abençoe Boaz,
que sempre tem sido bom, tanto para os que estão vivos como para os que já morreram!

Noemi continuou:

— Esse homem é nosso parente chegado e um dos responsáveis por nós.

Então Rute disse:

— Além de tudo isso, ele disse que eu posso continuar trabalhando com os seus empregados até acabar a colheita.

Boaz foi bondoso com Rute. Seja bondoso também, dizendo algo gentil neste momento.

Noemi respondeu:

— É bom que você vá com as empregadas dele, minha filha. Pois, se fosse trabalhar na plantação de outro homem, você poderia ser humilhada.

Fale o nome de três pessoas que fazem você se sentir protegido.

CONEXÃO COM Jesus

Deus enviou Boaz para ser bondoso com

Vamos conversar

- De que modo as pessoas têm sido bondosas com você?
- Que gentilezas você pode fazer por um amigo nesta semana?

Querido Deus, ajude-nos a ser bondosos, assim como Boaz foi bondoso com Rute. Em nome de Jesus, amém.

O canguru Pipoca diz:
- É hora de orar!

A gentileza conta

Pendure uma folha de papel em branco e desenhe um coração toda vez que você vir seu filho sendo gentil nesta semana. Incentive-o a encher a folha de corações e dê-lhe os parabéns por todos os corações no fim da semana.

Guardar tudo

Quando chegar o momento de arrumar o quarto nesta semana, ajude seu filho a juntar os brinquedos, contando a ele como Rute catou espigas e colocou os grãos no cesto. A cada vez que você guardar um brinquedo, fale uma maneira de ser bondoso com alguém.

A ovelhinha Tapioca diz:
- Vamos guardar os brinquedos!

Rute e ajudá-la. Deus enviou Jesus para ser bondoso e ajudar *você!*

Samuel ouve Deus

1Samuel 3.1-10

Samuel ainda era menino e ajudava Eli na adoração a Deus, o SENHOR. Naqueles dias poucas mensagens vinham do SENHOR, e as visões também eram muito raras. Certa noite Eli, já quase cego, estava dormindo no seu quarto. Samuel dormia na Tenda Sagrada, onde ficava a arca da aliança. E a lâmpada de Deus ainda esta-

Coloque uma das mãos atrás da orelha e, quando eu disser "Samuel", erga a outra mão.

va acesa. Então o SENHOR Deus chamou:

— Samuel, Samuel!

— Estou aqui! — respondeu ele.

Então correu para onde Eli estava e disse:

— O senhor me chamou? Estou aqui.

Mas Eli respondeu:

— Eu não chamei você. Volte para a cama.

E Samuel voltou.

Então o SENHOR Deus tornou a chamar Samuel. O menino se levantou, foi aonde estava Eli e disse:

— O senhor me chamou? Estou aqui.

Mas Eli tornou a responder:

— Eu não chamei você, filho. Volte para a cama.

Faça de conta que você está dormindo. Depois, levante-se o mais rápido que puder quando eu disser o seu nome.

Levante-se, ande pela sala e depois volte até onde eu estou.

Samuel não conhecia o Senhor pois o Senhor ainda não havia falado com ele.

Aí o Senhor chamou Samuel pela terceira vez. Ele se levantou, foi aonde Eli estava e disse:

— O senhor me chamou? Estou aqui.

Então Eli compreendeu que era o Senhor quem estava chamando o menino e ordenou:

— Volte para a cama e, se ele chamar você outra vez, diga: "Fala, ó Senhor, pois o teu servo está escutando!"

E Samuel voltou para a cama.

Então o Senhor veio e ficou ali. E, como havia feito antes, disse:

— Samuel, Samuel!

— Fala, pois o teu servo está escutando! — respondeu Samuel.

Ouça com atenção enquanto eu sussurro algumas palavras. Veja se você consegue me ouvir.

CONEXÃO COM Jesus

Você está ouvindo o que eu estou ouvindo?

A ovelhinha Tapioca diz:
- Vamos ouvir os sons!

Saia para dar um passeio com seu filho e preste atenção nos sons. Enquanto estiver caminhando não fale nada, a não ser para descrever os sons que você ouve. Após o passeio, fale sobre como podemos ouvir Deus.

Descreva este som

Escolha objetos domésticos que façam sons característicos, tais como um relógio de cozinha, uma caneta que faça "clique" ou um pote com tampa. Peça à criança para fechar os olhos e tentar identificar cada objeto pelo som que ele produz. Fale sobre como é a voz de Deus para você.

Vamos conversar

- Quais são as coisas que Deus nos diz para fazer?
- Se você ouvisse Deus dizendo algo bem alto, como você acha que seria a voz dele?

O canguru Pipoca diz:
- É hora de orar!

Querido Deus, quando o Senhor falar conosco, ajude-nos a prestar atenção, como fez Samuel quando o Senhor o chamou. Em nome de Jesus, amém.

Jesus disse que as pessoas que o seguem reconhecem a sua voz. Jesus deseja que o ouçamos e o sigamos!

125

Davi vence

Golias veio, parou e gritou para os israelitas:

— Por que é que vocês estão aí, em posição de combate? Eu sou filisteu, e vocês são escravos de Saul! Escolham um dos seus homens para lutar comigo.

Davi chegou e disse a Saul:

um gigante

1Samuel 17

— Meu senhor, ninguém deve ficar com medo desse filisteu! Eu vou lutar contra ele.

Mas Saul respondeu:

— Você não pode lutar contra esse filisteu. Você não passa de um rapazinho, e ele tem sido soldado a vida inteira!

Golias era mesmo muito alto, e Davi, bem pequeno. Aponte dois lugares na parede para mostrar de que altura você acha que eram Davi e Golias.

127

Ruja como um
leão e depois
como um urso!

— Meu senhor — disse Davi — eu tomo conta das ovelhas do meu pai. Quando um leão ou um urso carrega uma ovelha, eu vou atrás dele, ataco e tomo a ovelha. Se o leão ou o urso me ataca, eu o agarro pelo pescoço e o golpeio até matá-lo. Tenho matado leões e ursos e vou fazer o mesmo com esse filisteu pagão, que desafiou o exército do Deus vivo. O SENHOR Deus me sal-

vou dos leões e dos ursos e me sal-
vará também desse filisteu.

Use os dedos para contar até cinco.

— Pois bem! — respondeu Saul. — Vá, e que
o SENHOR Deus esteja com você!

Ele pegou o seu bastão, escolheu cinco pedras lisas no ribeirão e pôs na sua sacola.
Pegou também a sua funda e saiu para enfren-
tar Golias.

Coloque um dedo na testa e depois deite-se no chão.

Então Golias começou novamente a caminhar na direção de Davi, e Davi correu rápido na direção da linha de batalha dos filisteus, para lutar contra ele. Enfiou a mão na sua sacola, pegou uma pedra e com a funda a atirou em Golias. A pedra entrou na testa de Golias, e ele caiu de cara no chão.

CONEXÃO COM Jesus

Jesus disse que teríamos problemas, mas também disse que ele é mais poderoso que os nossos problemas!

Pedrinhas

Da próxima vez que vocês saírem para um passeio, peça a cada membro da sua família que procure uma pedrinha. Fale sobre como era pequena a pedra que atingiu o gigante e explique de que maneiras Deus pode usar um garoto ou uma menina para realizar grandes feitos.

A ovelhinha Tapioca diz:
– Vamos pegar pedras!

Atingir o alvo

Amasse papéis para se parecerem com pedras. Marque um alvo qualquer na parede e tente atingi-lo com as pedras de papel. Fale sobre como Deus esteve com Davi e como você sabe que ele está com vocês.

O canguru Pipoca diz:
– É hora de orar!

Vamos conversar

- Você já teve algum problema grande para resolver?
- Conte como você enfrentou esse problema.

Querido Deus, por favor, ajude-nos quando tivermos problemas que pareçam tão grandes quanto um gigante. Obrigado por estar sempre conosco. Em nome de Jesus, amém.

Dois amigos

1Samuel 18.1-4

Vamos fazer de conta que estamos nos conhecendo agora. Podemos trocar um aperto de mãos e dizer nossos nomes.

de verdade

Saul e Davi terminaram a sua conversa. Jônatas, filho de Saul, começou a sentir uma profunda amizade por Davi  e veio a amá-lo como a si mesmo. Daquele dia em diante Saul levou Davi para a sua casa e não deixou que voltasse para a casa do seu pai. Jônatas e Davi fizeram um juramento de amizade, pois Jônatas tinha grande amor por Davi.

Dê-me um abraço.

Abrace a si mesmo.

133

Ele tirou a capa que estava usando e a deu a Davi. Deu também a sua túnica militar, a espada, o arco e o cinto.

CONEXÃO
COM Jesus Jesus é o melhor

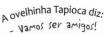

O canguru Pipoca diz:
– É hora de orar!

Querido Deus, obrigado por nos dar bons amigos. Ajude-nos a ser bondosos com nossos amigos, como eram Jônatas e Davi. Em nome de Jesus, amém.

Vamos conversar

- O que você pode fazer para ser um bom amigo?
- Jônatas deu a sua capa para Davi. Qual foi o melhor presente que um amigo já deu a você?

Amizade compartilhada

A ovelhinha Tapioca diz:
– Vamos ser amigos!

Da próxima vez que seu filho estiver brincando com um amigo ou mesmo com os irmãos, estimule-o a compartilhar o que tem. Lembre a criança de como Jônatas compartilhou suas coisas com Davi e incentive-a a falar aos amiguinhos sobre a amizade entre Jônatas e Davi.

Canção da amizade

Improvise uma melodia ou use uma já conhecida para cantar os seguintes versos:

Você tem sido um bom amigo, um bom amigo?
Você tem sido um bom amigo como era Jônatas?
Ele repartia suas coisas, pois sempre foi um bom amigo.
Você tem sido um bom amigo como era Jônatas?

amigo que podemos ter. Ele será nosso amigo *para sempre!*

Os corvos

1Reis 17.1-7

Um profeta chamado Elias, de Tisbé, na região de Gileade, disse ao rei Acabe:

— Em nome do Senhor, o Deus vivo de Israel, de quem sou servo, digo ao senhor que não vai cair orvalho nem chuva durante os próximos anos, até que eu diga para cair orvalho e chuva de novo.

Então o Senhor Deus disse a Elias:

Esfregue bastante as suas mãos até que fiquem bem quentes, como era o clima quente e seco da terra de Elias.

alimentam Elias

Faça como um corvo que Deus enviou para Elias. Estique os braços e "voe" pela sala.

— Saia daqui, vá para o leste e esconda-se perto do riacho de Querite, a leste do rio Jordão.  Você terá água do riacho para beber; e eu mandei que os corvos levem comida para você ali.

Elias obedeceu à ordem do SENHOR e foi e ficou morando perto do riacho de Querite. Ele bebia água do riacho, e os

Imite o som de água pingando.

Faça de conta que você está se alimentando como Elias. Primeiro, levante a mão para pegar a comida dos pássaros. Depois, abaixe-se e beba água do rio.

corvos vinham trazer pão e carne todas as manhãs e todas as tardes.  Mas algum tempo depois o riacho secou por falta de chuva.

CONEXÃO COM Jesus Deus enviou corvos para alimentar Elias e enviou

138

O canguru Pipoca diz:
- É hora de orar!

Querido Deus, obrigado por nos dar tudo de que precisamos. Por favor, ajude-nos a confiar que o Senhor nos dará aquilo de que necessitamos todos os dias. Em nome de Jesus, amém.

Vamos conversar

- Se Deus enviasse pássaros para alimentá-lo, que comida você gostaria que eles trouxessem?
- Cite algumas coisas de que você precisa e Deus sempre lhe dá.

Jantar dos pássaros

Numa noite, quando vocês forem jantar, convide seu filho para imitar pássaros. Deixe que ele leve os talheres e os guardanapos para a mesa, enquanto vocês fazem barulho de pássaros, com os braços abertos, como se estivessem voando. Fale sobre como Deus proveu o que Elias precisava ao enviar pássaros para alimentá-lo.

A ovelhinha Tapioca diz:
- Vamos voar!

Reserva de água

Por um dia, a cada vez que alguém da família abrir uma torneira, essa pessoa deverá dizer bem alto: "Obrigado, Deus, pela água!" No fim do dia, converse com seu filho sobre o maravilhoso fato de Deus nos dar aquilo de que precisamos.

Jesus para nos ajudar em tudo aquilo que precisarmos!

Deus alimenta

1Reis 17.8-16

Então o SENHOR Deus disse a Elias:

— Apronte-se e vá até a cidade de Sarepta, perto de Sidom, e fique lá. Eu mandei que uma viúva que mora ali dê comida para você.

Então Elias foi para Sarepta. Quando estava chegando ao portão da cidade, ele encontrou a viúva, que estava catando lenha.

Elias disse a ela:

Siga-me e vamos fazer de conta que estamos viajando para outra cidade.

uma viúva

— Por favor, me dê um pouco de água para eu beber.

Quando ela ia indo buscar a água, ele a chamou e disse:

— E traga pão também, por favor.

Pegue alguns brinquedos como se você fosse a viúva pegando lenha.

Aponte o jarro de azeite nesta ilustração. E a comida? Era pouca ou muita?

Porém ela respondeu:

— Juro pelo seu Deus vivo, o SENHOR, que não tenho mais pão. Só tenho um punhado de farinha de trigo numa tigela e um pouco de azeite num jarro. Estou aqui catando uns dois pedaços de pau para cozinhar alguma coisa para mim e para o meu filho. Vamos comer e depois morreremos de fome.

— Não se preocupe!

— disse Elias. — Vá preparar

a sua comida. Mas primeiro faça um pãozinho

com a farinha que você tem e traga-o para mim.

Depois prepare o resto para você e para o seu

filho. Pois o SENHOR, o Deus de Israel, diz isto:

"Não acabará a farinha da sua tigela, nem fal-

tará azeite no seu jarro até o dia em que eu, o

SENHOR, fizer cair chuva."

Então a viúva foi e fez como Elias tinha dito. E todos eles tiveram comida para muitos dias.  Como o SENHOR havia prometido por meio de Elias, não faltou farinha na tigela nem azeite no jarro.

faça de conta que você está saboreando uma comida deliciosa.

CONEXÃO COM Jesus   Deus fez um milagre para

Vamos conversar

- Que coisas você precisa e que Deus tem lhe dado?
- O que precisamos pedir a Deus hoje?

Querido Deus, obrigado por tudo que o Senhor tem nos dado. Obrigado por cuidar de nós do mesmo modo como cuidou de Elias e da viúva. Em nome de Jesus, amém.

Desenho no pão

Convide a criança para criar recortes e formatos divertidos em algumas fatias de pão de fôrma. Depois, comam o pão e conversem sobre como Deus mostrou a Elias o que fazer para ajudar a viúva e seu filho a terem comida suficiente.

O canguru Pipoca diz:
- É hora de orar!

Ajudantes de Deus

Procure pessoas que precisam de ajuda. Incentive seu filho a ajudar essas pessoas e lhes contar sobre o amor de Deus.

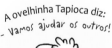

A ovelhinha Tapioca diz:
- Vamos ajudar os outros!

cuidar da viúva. Jesus também faz coisas maravilhosas para cuidar de nós!

E
ntão Elias disse:

— De todos os profetas de Deus, o Senhor, eu fui o único que sobrou, mas os profetas de Baal são quatrocentos e cinquenta. Agora tragam dois touros. Que os profetas de Baal matem um deles, cortem em pedaços e ponham em

poder de Deus

1Reis 18

cima da lenha, mas não ponham fogo! Eu farei a mesma coisa com o outro touro.  E aí os profetas de Baal vão orar ao seu deus, e eu orarei ao Senhor. O deus que responder mandando fogo, este é que é Deus.

Um altar pode ser uma pilha de pedras e lenha. Faça de conta que você está empilhando pedras e lenha para construir um altar.

E todo o povo respondeu:

— Está bem assim!

Os profetas de Baal pegaram o touro que havia sido trazido para eles, e o prepararam, e oraram a Baal desde a manhã até o meio-dia. Eles gritavam assim:

— Ó Baal, responde às nossas orações!

E ficaram dançando em volta do altar que haviam feito, porém não houve resposta.

Passou o meio-dia, e eles continuaram a orar e a gritar até a hora do sacrifício da tarde;

Coloque a mão atrás da orelha, como se você estivesse ouvindo algo. Depois, faça um sinal negativo com a cabeça.

porém não se ouviu nenhum som.

Quando chegou a hora do sacrifício da tarde, o profeta Elias chegou perto do altar e orou assim:

— Ó SENHOR, Deus de Abraão, de Isaque e de Jacó! Prova agora que és o Deus de Israel, e que eu sou teu servo, e que fiz tudo isto de acordo com a tua ordem. Responde-me, ó SENHOR, responde-me, para que este povo saiba que tu, o SENHOR, és Deus e estás trazendo este povo de volta para ti!

Ore para Deus como Elias orou:
— Responde-me, ó Senhor!

Agite seus dedos como se fossem chamas e faça de conta que elas estão queimando tudo em cima do altar.

Então o S\ENHOR mandou fogo. E o fogo queimou o sacrifício, a lenha, as pedras, a terra e ainda secou a água que estava na valeta. Quando viram isso, os israelitas se ajoelharam, encostaram o rosto no chão e gritaram:

— O SENHOR é Deus! Só o SENHOR é Deus!

— Responde-me, ó SENHOR!

— Só o SENHOR é Deus!

Ajoelhe-se e grite:
— Só o Senhor é Deus!

CONEXÃO COM Jesus

Deus mandou fogo para mostrar às pessoas de Israel que ele é real. E enviou Jesus para mostrar *a nós* que ele é real.

Construindo um altar

A ovelhinha Tapioca diz:
- Vamos construir!

Convide a criança para fazer uma pilha com blocos de brinquedo ou pedras. Se for possível fazer isso com pedras ao ar livre, jogue um pouco de água sobre a pilha. Fale sobre o que aconteceu com o altar de Elias e sobre como você sabe que Deus é real.

Verdadeiro ou falso

Procurem objetos falsos pela casa, como bichos de pelúcia ou comidas de brinquedo. Fale sobre como identificar se alguma coisa é verdadeira ou falsa e como você pode dizer se Deus é verdadeiro ou falso.

O canguru Pipoca diz:
- É hora de orar!

Vamos conversar

- Fale sobre algo maravilhoso que você viu.
- O que Deus faz que é maravilhoso?

Querido Deus, ajude-nos a lembrar que o Senhor é o único Deus verdadeiro. Mostre-nos o quanto o Senhor é real e poderoso. Em nome de Jesus, amém.

Deus cura

2Reis 5

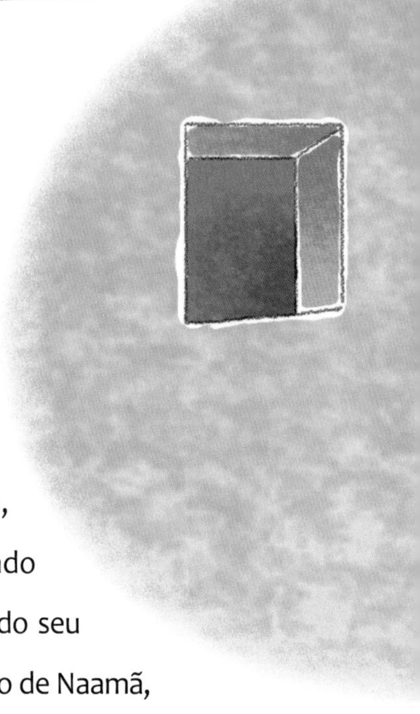

Naamã,
o comandante
do exército da Síria,
era muito respeitado
e estimado pelo rei do seu
país porque, por meio de Naamã,
o SENHOR Deus tinha dado a vitória ao exército dos sírios. Ele era um soldado valente, mas sofria de uma terrível doença da pele.

Então Naamã foi com os seus cavalos e carros e parou na porta da casa de Eliseu. Eliseu mandou que um empregado saísse e dissesse a

A doença de pele que Naamã tinha era lepra. Ela causa feridas que coçam. Coce seus braços!

Naamã

ele que fosse se lavar sete vezes no rio Jordão, pois assim ficaria completamente curado da sua doença.  Mas Naamã ficou muito zangado e disse:

Agora, faça de conta que você está lavando os braços.

— Eu pensava que pelo menos o profeta ia sair e falar comigo e que oraria ao SENHOR, seu Deus, e que passaria a mão sobre o lugar doente e me curaria! Além disso, por acaso, os rios Abana e Farpar, em Damasco, não são melhores do que qualquer rio da terra de Israel? Será que

faça cara de mau.

eu não poderia me lavar neles e ficar curado?

E foi embora muito bravo.

Então os seus empregados foram até o lugar
onde ele estava e disseram:

— Se o profeta mandasse o senhor fazer alguma coisa difícil, por acaso, o senhor não faria? Por que é que o senhor não pode ir se lavar,
como ele disse, e ficar curado?

Então Naamã desceu até o rio Jordão e mer-
gulhou sete vezes, como Eliseu tinha dito.

Conte até
sete comigo.

155

E ficou completamente curado. A sua carne ficou firme e sadia como a de uma criança. Depois ele voltou com todos os seus homens até o lugar onde Eliseu estava e disse:

— Agora eu sei que no mundo inteiro não existe nenhum deus, a não ser o Deus de Israel. Aceite um presente meu, por favor.

CONEXÃO
COM Jesus   Assim como Deus lavou

Vamos conversar

- O que acontece quando você não obedece a seus pais? E o que acontece quando você lhes obedece?
- Por que Deus espera que nós lhe obedeçamos?

Querido Deus, obrigado por curar a doença de Naamã. Por favor, mantenha-nos saudáveis e nos ajude a lhe obedecer, mesmo quando não quisermos. Em nome de Jesus, amém.

Sete, sete, sete

Oriente a criança a realizar algumas ações por sete vezes seguidas. Por exemplo, bater palmas, piscar os olhos ou dizer o próprio nome. Depois, fale de sete maneiras de obedecer a Deus durante a semana.

O canguru Pipoca diz:
- É hora de orar!

Banho sem manchas

Um pouco antes de seu filho ir tomar banho, faça algumas pintas na mão dele com caneta hidrográfica lavável ou algumas bolhas com o sabonete nos braços dele. Durante o banho, ajude a criança a tirar as manchas com uma esponja. Lembre a criança de que Deus curou a doença de Naamã porque ele obedeceu a Deus. Elogie seu filho pelas vezes que ele lhe obedeceu hoje.

A ovelhinha Tapioca diz:
- Vamos tomar banho!

as feridas de Naamã, Jesus lava as coisas ruins que nós fazemos.

Josias conserta

No ano dezoito do seu reinado, depois de ter purificado o país e o Templo, Josias enviou [três] homens para fazerem os consertos no Templo. Eles foram falar com o Grande Sacerdote Hilquias e lhe entregaram o dinheiro que os levitas tinham recebido e trazido ao Templo.

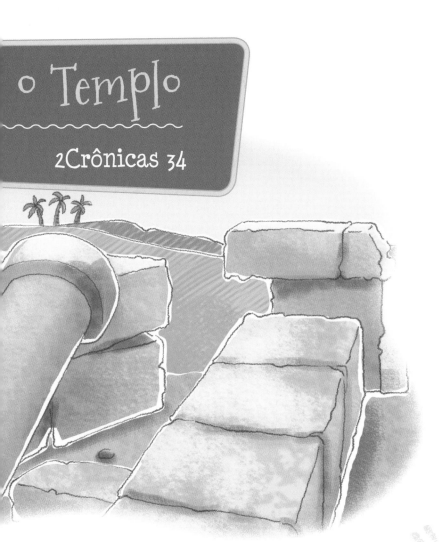

o Templo

2Crônicas 34

Esse dinheiro tinha sido dado por gente das tribos de Manassés e de Efraim e do resto do Reino de Israel, e também por gente das tribos de Judá e de Benjamim e pelos moradores de Jerusalém. O dinheiro foi entregue aos

faça de conta que você está me dando dinheiro para consertar o Templo. Quanto você me dará?

159

homens que estavam encarregados dos consertos, e estes o usaram para pagar os trabalhadores que estavam reconstruindo e consertando o Templo. Deram o dinheiro aos carpinteiros e aos construtores para comprarem pedras trabalhadas e madeira para as vigas e para os outros consertos que deviam ser feitos nos edifícios que os reis de Judá haviam deixado cair aos pedaços. Enquanto entregavam o dinhei-

fique de pé, bem reto, como um edifício alto, depois deite-se no chão e levante-se novamente.

ro que havia sido dado para o Templo, Hilquias achou o Livro da Lei de Deus, a Lei que o SENHOR tinha dado por meio de Moisés. Hilquias disse a Safã, o escrivão:

— Achei o Livro da Lei aqui no Templo.

E deu o livro a Safã. Este o levou ao rei e prestou o seu relatório, dizendo:

— Nós, seus servidores, fizemos tudo o que o senhor mandou.

Safã disse também:

— Tenho aqui comigo um livro que Hilquias me entregou. E leu o livro em voz alta para o rei.

Encontre um livro grande e pegue-o.

O rei Josias mandou que todos os líderes de Judá e de Jerusalém se reunissem, e todos foram juntos até o Templo, acompanhados pelos sacerdotes, pelos levitas e por todo o resto do povo de Jerusalém e de Judá, desde os mais importantes até os mais humildes. Então o rei leu diante deles todo o Livro da Aliança, que havia sido achado no Templo.

Abra o livro e faça de conta que você o está lendo para uma multidão.

CONEXÃO
COM Jesus

A Bíblia é especial porque ela nos conta sobre Jesus!

Limpar e polir!

Da próxima vez que a criança estiver limpando ou arrumando os brinquedos, conte-lhe como Josias limpou o Templo. Fale sobre como é importante cuidar das coisas que Deus nos dá.

A ovelhinha Tapioca diz:
– Vamos limpar!

Construir e reconstruir

Com a ajuda da criança, cubra uma Bíblia com uma pilha grande de blocos de brinquedo. Depois, derrubem os blocos juntos até encontrarem a Bíblia. Fale sobre como Hilquias encontrou a Bíblia e o que faz a Bíblia ser especial.

O canguru Pipoca diz:
– É hora de orar!

Vamos conversar

- Conte-me sobre alguma vez em que você perdeu algo que lhe era muito especial.
- O que faz a Bíblia ser um livro especial?

Querido Deus, por favor, ajude-nos a ouvir o que o Senhor diz na Bíblia e a lhe obedecer. Em nome de Jesus, amém.

Ester se torna rainha

Ester 2—5

Em Susã morava um judeu chamado Mordecai. Quando o rei Nabucodonosor, da Babilônia, levou de Jerusalém como prisioneiro o rei Joaquim, de Judá, Mordecai estava entre os prisioneiros que foram levados com Joaquim. Mordecai levou consigo a sua prima Hadassa, isto é, Ester, uma moça bonita e formosa.

[O rei] gostou dela mais do que de qualquer outra moça, e ela conquistou a simpatia e a admiração

Conte-me como você gosta de comemorar seu feriado favorito.

dele como nenhuma outra moça havia feito. Ele colocou a coroa na cabeça dela e a fez rainha no lugar de Vasti. Depois ele deu um grande banquete em honra de Ester e convidou todos os oficiais e servidores. Ele decretou que aquele dia fosse feriado no reino inteiro e distribuiu presentes que só um rei poderia oferecer.

Hataque foi procurar Mordecai na praça que havia em frente do palácio. Mordecai entregou a Hataque uma cópia do decreto que havia sido lido por toda a cidade de Susã, ordenando que os judeus fossem mortos. E Mordecai pediu a Hataque que levasse a cópia a Ester, explicasse

Mordecai ficou com medo porque o povo queria matá-lo. Faça cara de medo.

tudo direito e pedisse a ela que fosse falar com o rei e insistisse que ele tivesse piedade do povo dela.

Ester se vestiu com as suas roupas de rainha, foi e ficou esperando no pátio de dentro do palácio, em frente do salão nobre do rei. Ele estava lá dentro, sentado no trono, que ficava em frente da porta do pátio. E, quando ele viu a rainha Ester esperando lá fora no pátio, teve boa vontade para com ela e estendeu-lhe o seu cetro de ouro. Ester entrou, chegou perto dele e tocou na ponta do cetro. E o rei perguntou:

— O que está acontecendo, rainha Ester? O que você deseja? Peça o que quiser, que eu lhe darei, mesmo que seja a metade do meu reino.

Cetro é um bastão enfeitado que reis e rainhas usam. Faça de conta que você é um rei ou uma rainha e está segurando o cetro.

CONEXÃO COM Jesus

Ester teve de esperar

166

Roupas da realeza

A ovelhinha Tapioca diz:
– Vamos usar trajes reais!

Ajude seu filho a se vestir como um rei. Improvise uma coroa para ele usar. Faça uma capa com uma toalha bem bonita e use uma colher grande como cetro. Incentive-o a ficar com essa vestimenta por mais tempo, como na hora de comer e de brincar. Conte-lhe por que os reis e as rainhas são importantes e o que torna as crianças importantes para Deus.

Segure o cetro

Ajude a criança a encapar um tubo de papelão com papel-alumínio. Faça uma bola de papel-alumínio e cole na ponta do tubo. Depois, brinque de "Segurar o cetro". A pessoa que está segurando o cetro faz papel de rei ou rainha e diz às outras para fazer algo divertido (por exemplo, marchar no lugar ou cantar uma música). Só quem estiver segurando o cetro é que pode falar.

Vamos conversar

- Ester era especial para o rei. O que torna você especial?
- Sobre o que você pode falar com Deus?

O canguru Pipoca diz:
– É hora de orar!

Querido Deus, por favor, ajude-nos a entender o quanto somos especiais para o Senhor, assim como a rainha Ester era especial para o rei. Em nome de Jesus, amém.

uma permissão para falar com o rei. Mas nós podemos falar com o Rei Jesus a qualquer momento!

O rei e Hamã foram de novo ao banquete da rainha Ester, e novamente, enquanto bebiam vinho, o rei perguntou a Ester:

— Qual é o seu pedido? Peça o que quiser, que eu lhe darei, mesmo que seja a metade do meu reino.

Ela respondeu:

— Se eu puder me valer da bondade do rei, e se for do seu agrado, a única coisa que quero é que o senhor salve a minha vida e a vida do meu

Diga o que você pediria se um rei se oferecesse para lhe dar algo.

168

salva os judeus

povo. Pois o meu povo e eu fomos vendidos para sermos destruídos e mortos. Se fosse somente o caso de sermos todos vendidos como escravos, eu não diria nada, pois não seria justo incomodar o senhor por causa de uma desgraça tão sem importância como esta.

Ester foi valente por tentar salvar seu povo, mesmo colocando sua vida em risco. Flexione seu braço, mostrando o muque de uma pessoa valente.

169

Faça uma cara de bravo como o rei Xerxes.

O rei Xerxes perguntou à rainha Ester:

— Quem é o homem que está pensando em fazer isso e onde está ele?

— O nosso inimigo e perseguidor é Hamã, este homem perverso! — respondeu Ester.

Cheio de medo, Hamã ficou olhando para o rei e para a rainha.

Agora, faça cara de medo.

Naquele mesmo dia o rei Xerxes deu à rainha Ester a casa e os bens de Hamã, o inimigo dos judeus. E Mordecai foi apresentado ao rei porque Ester contou que Mordecai era seu parente. Então o rei tirou o seu anel-sinete, que ele tinha tomado de Hamã, e o deu a Mordecai. E Ester nomeou Mordecai como administrador de todos os bens de Hamã.

O anel-sinete do rei dava poderes para as pessoas governarem. Faça de conta que você está colocando o anel no dedo e diga uma ordem que você gostaria de dar.

Chegou o dia treze do décimo segundo mês, o mês de adar, o dia em que deveria ser cumprida a ordem do rei. Era o dia em que os inimigos dos judeus esperavam dominá-los; mas o que aconteceu foi o contrário: os judeus derrotaram os seus inimigos.

Bata palmas bem alto!

CONEXÃO COM Jesus   Jesus também foi valente quando

Querido Deus, obrigado por ajudar Ester a ser valente. Por favor, nos ajude a ser valentes também e fazer o que é certo. Em nome de Jesus, amém.

Vamos conversar

- Fale sobre alguma situação em que você sentiu medo.
- Quando é difícil para você ser valente e fazer a coisa certa?

O canguru Pipoca diz:
– É hora de orar!

Ser valente

Ajude seu filho a fazer algo diferente e que envolva coragem nesta semana (sugestões: escalar um trepa-trepa, andar de bicicleta sem rodinhas, experimentar espinafre pela primeira vez...). Fale sobre o que significa ser valente e fazer a coisa certa para Deus.

Hora de comemorar

Escolha uma noite da semana para servir um banquete como o da rainha Ester. Prepare os pratos preferidos do seu filho, use uma louça especial, arrume a mesa com uma toalha bonita e velas e jantem como uma família real! Fale sobre como Ester foi valente durante o banquete.

A ovelhinha Tapioca diz:
– Vamos ter um banquete!

morreu na cruz para nos perdoar!

O Senhor é

Salmo 23

Encontre pastos verdes e águas tranquilas nesta ilustração.

O SENHOR é o meu pastor:
nada me faltará.

Ele me faz descansar em pastos verdes
e me leva a águas tranquilas.

Mostre seus músculos!

o meu pastor

O SENHOR renova as minhas forças
e me guia por caminhos certos.

Ainda que eu ande por um vale escuro
como a morte,

não terei medo de nada.

Pois tu, ó SENHOR Deus, estás comigo.

Preparas um banquete
para mim.

Tu me recebes como
convidado de
honra

Convide-me
para sentar
à mesa como
convidado de
honra.

Cubra os olhos
com as mãos
para que fique
tudo escuro.
Depois, sente-se
perto de mim.

175

e enches o meu copo até derramar.

Certamente a tua bondade e o teu amor ficarão comigo enquanto eu viver.

E na tua casa, ó SENHOR, morarei todos os dias da minha vida.

Faça uma casa em cima da sua cabeça, colocando os braços como se fossem um telhado.

CONEXÃO COM Jesus

Jesus é chamado de "o bom pastor".

O canguru Pipoca diz:
- É hora de orar!

Querido Deus, ajude-nos a lembrar que o Senhor é o nosso Pastor e está sempre conosco, mesmo quando estamos com medo. Em nome de Jesus, amém.

Vamos conversar

- Quando você sente medo?
- O que você pode fazer da próxima vez em que sentir medo?

Caminhos certos

A ovelhinha Tapioca diz:
- Vamos dar um passeio!

Da próxima vez que vocês saírem para um passeio, fale sobre como as paisagens se parecem ou não com os pastos verdes, as águas tranquilas e o vale escuro do Salmo 23. Depois, fale sobre como Deus está com vocês a qualquer lugar aonde forem.

Béééé!

Reúna a família e se revezem no papel de pastor, conduzindo as demais pessoas como se fossem ovelhas. Fale sobre como um pastor cuida das ovelhas e como Deus cuida de nós, as ovelhas dele.

Jesus promete que sempre estará cuidando de nós!

A fornalha

Nabucodonosor ficou furioso e mandou chamar Sadraque, Mesaque e Abede-Nego. Eles foram levados para o lugar onde o rei estava, e ele lhes disse:

— É verdade que vocês não prestam culto ao

acesa

Daniel 3

meu deus, nem adoram a estátua de ouro que eu mandei fazer?

Depois, mandou que os seus soldados mais fortes amarrassem Sadraque, Mesaque e Abede--Nego e os jogassem na fornalha. Os três jovens,

Balance seu dedo indicador e pratique dizer os nomes Sadraque, Mesaque e Abede-Nego.

Segure as mãos atrás das costas, como se você estivesse amarrado.

completamente vestidos com os seus mantos, capas, chapéus e todas as outras roupas, foram amarrados e jogados na fornalha.

A ordem do rei tinha sido cumprida, e a fornalha estava mais quente do que nunca; por isso, as labaredas mataram os soldados que jogaram os três jovens lá dentro. E, amarrados, Sadraque, Mesaque e Abede-Nego caíram na fornalha.

De repente, Nabucodonosor se levantou e perguntou, muito espantado, aos seus conselheiros:

— Não foram três os homens que amarramos e jogamos na fornalha?

Conte as pessoas na fornalha.

— Sim, senhor! — responderam eles.

— Como é, então, que estou vendo quatro homens andando soltos na fornalha? — perguntou o rei. — Eles estão passeando lá dentro, sem sofrerem nada. E o quarto homem parece um anjo.

Coloque as mãos ao redor da boca e grite: — Saiam da fornalha!

Aí o rei chegou perto da porta da fornalha e gritou:

— Sadraque, Mesaque e Abede-Nego, servos do Deus Altíssimo, saiam daí e venham cá!

Encontre o quarto homem na fornalha.

Cheire suas roupas. Elas não têm cheiro de fumaça como se estivessem queimadas, certo?

Os três saíram da fornalha, e todas as autoridades que estavam ali chegaram perto deles e viram que o fogo não havia feito nenhum mal a eles. As labaredas não tinham chamuscado nem um cabelo da sua cabeça, as suas roupas não estavam queimadas, e eles não estavam com cheiro de fumaça.

— Saiam da fornalha!

CONEXÃO COM Jesus

Muita gente acha que a quarta pessoa na fogueira era Jesus! Jesus também sempre está do nosso lado, onde quer que estejamos.

Jesus e eu

Faça o desenho de uma situação em que você procurou fazer a coisa certa e depois desenhe Jesus perto de você, ajudando você.

A ovelhinha Tapioca diz:
– Vamos desenhar!

Protegido na fornalha acesa

Na hora de ir dormir, faça de conta que a fornalha acesa está debaixo do travesseiro ou das cobertas. Reúna alguns brinquedos e jogue-os na "fornalha acesa". Depois, tire-os e observe que eles não parecem queimados. Fale sobre como Deus nos mantém protegidos.

O canguru Pipoca diz:
– É hora de orar!

Vamos conversar

- Fale de uma situação em que você quis desobedecer, mas, ao contrário, obedeceu.
- O que ajuda você a diferenciar o certo do errado?

Querido Deus, obrigado por nos proteger do mesmo modo como o Senhor protegeu Sadraque, Mesaque e Abede-Nego. Em nome de Jesus, amém.

Daniel e a cova

Daniel 6

Os ministros e os governadores procuraram achar um motivo para acusar Daniel, mas não encontraram.

Então foram todos juntos falar com o rei e disseram:

— Que o rei Dario viva para sempre! Todos nós que ocupamos posições de autoridade no reino, isto é, os ministros, os governadores, os prefeitos e as outras autoridades, nos reunimos e concordamos em pedir ao senhor que dê uma ordem que não poderá ser desobedecida. Ordene que durante trinta dias todos façam os seus pedidos somente ao senhor. Se durante esse tempo alguém fizer um pedido a qualquer deus ou a qualquer outro

Ruja como um leão!

dos leões

homem, essa pessoa será jogada na cova dos leões.

Quando Daniel soube que o rei tinha assinado a ordem, voltou para casa. No andar de cima havia um quarto com janelas que davam para Jerusalém. Daniel abriu as janelas, ajoelhou-se e orou, dando graças ao seu Deus. Ele costumava fazer isso três vezes por dia.

Junte as mãos em oração e feche os olhos três vezes!

Então o rei mandou que trouxessem Daniel e o jogassem na cova dos leões. E o rei disse a Daniel:

— Espero que o seu Deus, a quem você serve com tanta dedicação, o salve.

Trouxeram uma pedra e com ela taparam a

boca da
cova. O
rei selou a
pedra com o seu
próprio anel e com
o anel das altas autoridades do reino, para que, mesmo no
caso de Daniel, a lei fosse cumprida ao pé da le-
tra. O rei voltou para o palácio, mas não comeu
nada, nem se divertiu como de costume. E
naquela noite não pôde dormir.

De manhã, cedinho, ele se levantou e foi depressa até a cova dos leões. Ali, com voz muito
triste, ele disse:

— Daniel, servo do Deus vivo! Será que o seu
Deus, a quem você serve com tanta dedicação,
conseguiu salvá-lo dos leões?

Esfregue as
mãos na barriga
como se esti-
vesse com fome.

Daniel respondeu:

— Que o rei viva para sempre! O meu Deus mandou o seu Anjo, e este fechou a boca dos leões para que não me ferissem. Pois Deus sabe que não fiz nada contra ele.  E também não cometi nenhum crime contra o senhor.

O rei, muito alegre, mandou que tirassem Daniel da cova. Assim ele foi tirado, e viram que nenhum mal havia acontecido com ele, pois havia confiado em Deus.

faça de conta que você está fechando sua boca com um zíper.

CONEXÃO COM Jesus

Daniel confiou em Deus quando coisas ruins

Vamos conversar

- Fale de uma situação em que você confiou em Deus.
- Onde você gosta de orar?

Janela de oração

Sente-se perto de uma janela com a criança e orem juntos. Suas orações podem incluir um agradecimento a Deus, um pedido de ajuda ou simplesmente contar coisas boas. Depois, fale sobre como Daniel confiou em Deus ao orar, mesmo contrariando a ordem do rei.

Querido Deus, obrigado porque sempre podemos confiar no Senhor. Ajude-nos a ser como Daniel e a confiar no Senhor quando coisas ruins acontecerem. Em nome de Jesus, amém.

O canguru Pipoca diz:
- É hora de orar!

Caminhada de fé

Usando almofadas e cadeiras, faça um percurso com obstáculos e depois coloque uma venda nos olhos da criança. Oriente-a a andar pelos obstáculos, dizendo a ela onde virar, parar ou pular. Mais tarde, fale sobre como Deus pode nos manter protegidos quando confiamos nele e lhe obedecemos.

A ovelhinha Tapioca diz:
- Vamos dar uma volta!

aconteceram, e nós também podemos confiar em seu Filho, Jesus.

Jonas

Certo dia, o SENHOR Deus disse a Jonas, filho de Amitai:

— Apronte-se, vá à grande cidade de Nínive e grite contra ela, porque a maldade daquela gente chegou aos meus ouvidos.

Jonas se aprontou, mas fugiu do SENHOR, indo na direção contrária. Ele desceu a Jope e ali encontrou um navio que estava de saída para a Espanha. Pagou a passagem e embarcou a fim

Rápido! Levante-se e corra pela sala como se você estivesse indo para Nínive!

Aponte as duas placas nesta ilustração.

Oh-oh! Jonas tentou se esconder de Deus. Vou contar até três e você tentará se esconder de mim.

de viajar com os marinheiros para a Espanha, para longe do SENHOR.  No entanto, Deus mandou um forte vento, e houve uma tempestade no mar. Era tão violenta, que o navio estava em perigo de se partir ao meio.

Balance para frente e para trás como se estivesse num navio em meio a uma tempestade.

191

Ronque bem alto, como se você estivesse dormindo profundamente.

Os marinheiros ficaram com muito medo e gritavam por socorro, cada um ao seu deus. E, para que o navio ficasse mais leve, jogaram a carga no mar. Porém Jonas tinha descido ao porão e ali havia se deitado e caído num sono profundo.

CONEXÃO COM Jesus

Jonas aprendeu que

O canguru Pipoca diz:
- É hora de orar!

Querido Deus, pedimos desculpas pelas vezes que tentamos nos esconder do Senhor. Ficamos felizes por nos amar tanto e nunca desistir de nós. Em nome de Jesus, amém.

Vamos conversar

- Jonas desobedeceu a Deus. A que ordem você não gosta de obedecer?
- Jonas tentou se esconder de Deus. Que coisas você gostaria que Deus não visse você fazer?

À deriva

A ovelhinha Tapioca diz:
- Vamos navegar!

Por um dia, quando alguém da família gritar: "Tempestade!", encene a tempestade de Jonas, independentemente de onde você estiver. Balance para frente e para trás sobre as "ondas" e faça barulhos de ventania. Bata os pés no chão como trovões.

Onde está Jonas?

Brinque de esconde-esconde! Fale sobre como Jonas tentou se esconder de Deus e diga à criança que Deus está sempre conosco, onde quer que estejamos.

não podia fugir de Deus. Nós também não podemos fugir de Jesus.

Jonas e o mar

Os marinheiros disseram uns aos outros:

— Vamos tirar a sorte para descobrir quem é o culpado de estarmos neste perigo.

Eles fizeram isso, e o nome de Jonas foi sorteado. Então lhe perguntaram:

— Agora diga: quem é o culpado de tudo isso? O que você está fazendo aqui? De onde

Faça uma pergunta para mim e eu farei outra para você.

tempestuoso

Jonas 1.7-17

você vem? De que país você é, e qual é o seu povo?

— Eu sou hebreu — respondeu Jonas — e adoro o SENHOR, o Deus do céu, que fez o mar e a terra.

Conte-me por que você ama Deus.

Em seguida, Jonas contou que estava fugindo de Deus, o SENHOR. Aí os marinheiros ficaram mais apavorados ainda e disseram:

— Veja só o que você fez!

A tempestade piorava cada vez mais, de modo que os marinheiros perguntaram a Jonas:

— Que devemos fazer com você para que o mar se acalme?

Jonas respondeu:

— Vocês me peguem e joguem no mar, que ele ficará calmo. Pois eu sei que foi por minha culpa que esta terrível tempestade caiu sobre vocês.

Em vez de fazerem isso, os marinheiros começaram a remar com toda a força, tentando levar o navio para a praia; porém não conseguiam nada porque a tempestade piorava ainda mais. Então oraram bem alto, assim:

— Ó Senhor Deus, não nos castigues com a morte, por tirarmos a vida deste homem. Pois és tu, ó Senhor, quem está fazendo isso, e o que está acontecendo é da tua vontade.

Reme o mais rápido que conseguir.

Faça de conta que está jogando alguém para fora do navio.

Em seguida, os marinheiros pegaram Jonas e o jogaram no mar, e logo o mar se acalmou.

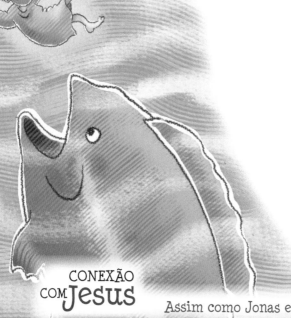

Eles ficaram com tanto medo do SENHOR, que lhe ofereceram um sacrifício e lhe fizeram promessas.

O SENHOR ordenou que um grande peixe engolisse Jonas. E ele ficou dentro do peixe três dias e três noites.

Estique os braços na frente do corpo e faça de conta que está na boca de um peixe gigante. Veja se você consegue me engolir!

CONEXÃO COM Jesus

Assim como Jonas esteve dentro de um

Homem ao mar!

Na hora do banho, use um pote plástico como navio e um boneco como Jonas. Incentive seu filho a recontar a história de Jonas conforme ele se lembrar.

A ovelhinha Tapioca diz:
- Vamos nadar!

Com cheiro de peixe

Prepare um sanduíche de atum ou de outro peixe nesta semana. Cheire o sanduíche antes de comer e fale sobre como seria parecido ao ser engolido por um peixe.

O canguru Pipoca diz:
- É hora de orar!

Vamos conversar

- Como alguém lhe mostrou amor quando você esteve em apuros?
- Como Deus mostra que cuida de nós?

Querido Deus, obrigado por enviar um peixe para engolir Jonas e mantê-lo protegido. E obrigado por cuidar de nós! Em nome de Jesus, amém.

peixe por três dias, o corpo de Jesus ficou numa sepultura por três dias também. Mas, depois dos três dias, Jesus voltou a viver!

Um peixe engole Jonas

Jonas 2.1-10

Junte as mãos como se você estivesse orando.

Ali, de dentro do peixe, Jonas orou ao SENHOR, seu Deus, dizendo:

"Ó SENHOR Deus, na minha aflição clamei por socorro, e tu me respondeste; do fundo do mundo dos mortos, gritei pedindo socorro, e tu ouviste a minha voz.

Tu me atiraste no abismo, bem no fundo do mar. Ali as águas me cer-

Faça de conta que você está nadando.

cavam por todos os lados, e todas as tuas poderosas ondas rolavam sobre mim.

Pensei que havia sido jogado fora da tua presença e que não tornaria a ver o teu santo Templo.

As águas vieram sobre mim e me sufocaram; o mar me cobriu completamente, e as plantas marinhas se enrolaram na minha cabeça.

Enrole seu braço em volta da cabeça e faça de conta que ele é uma planta marinha.

Desci até a raiz das montanhas, desci à terra que tem o portão trancado para sempre. Tu, porém, me salvaste da morte, ó SENHOR, meu Deus!

Abrace-se bem apertado e imagine que Deus está segurando você.

Coloque a mão atrás do ouvido.

Quando senti que estava morrendo, eu lembrei de ti, ó SENHOR, e a minha oração chegou a ti, no teu santo Templo.

Aqueles que adoram ídolos, que são coisas sem valor, deixaram de ser fiéis a ti.

Mas eu cantarei louvores, e te oferecerei sacrifícios, e cumprirei o que prometi. A salvação vem de Deus, o SENHOR!"

Então o SENHOR deu ordem ao peixe, e ele vomitou Jonas na praia.

Pule como se você estivesse sendo vomitado pelo peixe na praia.

CONEXÃO COM Jesus Deus enviou um peixe para salvar

Pega-pega

A ovelhinha Tapioca diz:
— Vamos brincar de pega-pega!

Diga:

— Jonas estava afundando no mar. Mas Deus enviou um peixe para que ele pudesse pensar.

Depois, corra atrás da criança e, ao pegá-la no colo, diga:

— Peguei você! Peguei você! Não vou deixar você afundar! Vou colocá-la no chão em segurança!

Coloque a criança no chão e brinque outra vez!

Caminho errado

Quando seu filho começar a lhe desobedecer, mencione como Jonas seguiu o caminho errado para depois resolver fazer o que era certo. Faça a criança girar em círculo e depois orar prometendo fazer o que é certo a Deus.

Vamos conversar

- Sobre o que você ora?
- O que você pode fazer se fez algo errado?

O canguru Pipoca diz:
— É hora de orar!

Querido Deus, nos ajude quando estivermos com problemas. Em nome de Jesus, amém.

Jonas e enviou Jesus para nos salvar do nosso pecado.

Jonas

Pela segunda vez, o SENHOR Deus disse a Jonas:

— Apronte-se, vá à grande cidade de Nínive e anuncie ao povo de lá a mensagem que eu vou dar a você.

Jonas se aprontou e foi a Nínive, como o SENHOR Deus havia ordenado. Nínive era tão grande, que uma pessoa levava três dias para atravessá-la a pé. Jonas entrou na cidade, andou um dia inteiro e então começou a anunciar:

Faça de conta que está marchando em direção a Nínive.

vai para Nínive

Jonas 3

— Dentro de quarenta dias, Nínive será destruída!

Então os moradores de Nínive creram em Deus e resolveram que cada um devia jejuar. E todos, desde os mais importantes até os mais humildes, vestiram roupa feita de pano grosseiro a fim de mostrar que estavam arrependidos.

Faça de conta que está vestido com um pano grosseiro que dá coceira!

Deus viu o que eles fizeram e como abandonaram os seus maus caminhos. Então mudou de ideia e não castigou a cidade como tinha dito que faria.

Faça cara de feliz como se você tivesse sido perdoado.

CONEXÃO COM Jesus

Deus perdoou

O canguru Pipoca diz:
- É hora de orar!

Querido Deus, às vezes fazemos coisas erradas e desobedecemos ao Senhor. Por favor, nos perdoe e nos ajude a não fazer coisas erradas. Em nome de Jesus, amém.

Vamos conversar

- Fale de uma ocasião em que alguém perdoou você.
- O que seria muito difícil de você perdoar?

Roupas desconfortáveis

A ovelhinha Tapioca diz:
- Vamos brincar de nos vestir!

Faça com que cada pessoa da família vista algo desconfortável (por exemplo, uma roupa muito pequena, ou muito grande, ou quente demais). Fale sobre o que as pessoas de Nínive fizeram para mostrar que estavam arrependidas e sobre o que você pode fazer quando se arrepender de alguma coisa.

Aviso!

Peça a seu filho para transmitir um aviso seu aos demais familiares, como, por exemplo, a hora do jantar ou a hora de sair. Fale sobre a mensagem que Jonas levou e como Deus perdoou os moradores de Nínive quando eles ouviram a mensagem de Jonas e pararam de fazer coisas ruins.

o povo de Nínive e não castigou a cidade. E, por causa de Jesus, Deus também nos perdoa!

Um anjo aparece

Lucas 1.26-38

Quando Isabel estava no sexto mês de gravidez, Deus enviou o anjo Gabriel a uma cidade da Galileia chamada Nazaré. O anjo levava uma mensagem para uma virgem que tinha casamento contratado com um homem chamado José, descendente do rei Davi. Ela se chamava Maria. O anjo veio e disse:

— Que a paz esteja com você, Maria! Você é muito abençoada. O Senhor está com você.

Faça de conta que você é um anjo e diga:
— Que a paz esteja com você!

para Maria

Porém Maria, quando ouviu o que o anjo disse, ficou sem saber o que pensar. E, admirada, ficou pensando no que ele queria dizer. Então o anjo continuou:

O anjo disse que o menino Jesus se tornaria rei. Engatinhe como bebê e vá se levantando devagar até ficar bem alto. Então, sente-se com um rei num trono.

— Não tenha medo, Maria! Deus está contente com você. Você ficará grávida, dará à luz um filho e porá nele o nome de Jesus. Ele será um grande homem e será chamado de Filho do Deus Altíssimo. Deus, o Senhor, vai fazê-lo rei, como foi o antepassado dele, o rei Davi. Ele será para sempre rei dos descendentes de Jacó, e o Reino dele nunca se acabará.

Então Maria disse para o anjo:

— Isso não é possível, pois eu sou virgem!

O anjo respondeu:

— O Espírito Santo virá sobre você, e o poder do Deus Altíssimo a envolverá com a sua sombra. Por isso o menino será chamado de santo e Filho de Deus. Fique sabendo que a sua parenta Isabel está grávida, mesmo sendo tão idosa. Diziam que ela não podia ter filhos, no entanto agora ela já está no sexto mês de gravidez.

Porque para Deus nada é impossível.

Fale algo que lhe parece impossível de ser feito. Depois, diga:

— Mas Deus pode fazer isso!

Maria respondeu:

— Eu sou uma serva de Deus; que aconteça comigo o que o senhor acabou de me dizer!

E o anjo foi embora.

— Que a paz esteja com você!

— Mas Deus pode fazer isso!

CONEXÃO COM Jesus Deus escolheu Maria para ser a

Querido Deus, o Senhor fez algo impossível para Maria. Ajude-nos a acreditar que Jesus é seu Filho e que o Senhor o enviou para ser o nosso Rei. Em nome de Jesus, amém.

Vamos conversar

- Que coisas maravilhosas você tem visto?
- O que você quer que Deus faça que lhe parece impossível?

O canguru Pipoca diz:
– É hora de orar!

Sim, eu posso!

Combine de observar com seu filho o uso da expressão "não posso" durante a semana. Sempre que ouvirem pela casa um familiar dizer essa frase, gritem juntos:

— Deus pode!

É impossível!

Dê à criança uma jarra com água e peça-lhe que construa uma torre usando somente a água do copo. É impossível! Então, ajude-a a despejar a água numa fôrma de gelo. Quando a água virar gelo, remova os cubos da fôrma e peça-lhe que construa uma torre de água. Deus pode fazer coisas ainda mais impossíveis que essa!

A ovelhinha Tapioca diz:
– Vamos construir!

mamãe de Jesus. Deus enviou seu Filho, Jesus, à terra para que ele pudesse morrer, voltar a viver e ser o nosso Rei para sempre!

Um anjo aparece

Mateus 1.18-24

Erga dois dedos, um do lado do outro, para representarem Maria e José.

O nascimento de Jesus Cristo foi assim: Maria, a sua mãe, ia casar com José.

Mas antes do casamento ela ficou grávida pelo Espírito Santo. José, com quem Maria ia casar, era um homem que sempre fazia o que era direito. Ele não queria difamar Maria e por isso resolveu desmanchar o contrato de casamento sem ninguém saber.

José ia desmanchar seu noivado com Maria. Separe os dois dedos.

Enquanto José estava pensando nisso, um anjo do Senhor apareceu a ele num sonho e disse:

— José, descendente de Davi, não tenha medo de receber Maria como sua esposa, pois

para José

ela está grávida pelo Espírito Santo. Ela terá um menino, e você porá nele o nome de Jesus, pois ele salvará o seu povo dos pecados deles.

Tudo isso aconteceu para se cumprir o que o Senhor tinha dito por meio do profeta:

Jesus nos salvou na cruz. Faça uma cruz com os dedos.

"A virgem ficará grávida e terá um filho que receberá o nome de Emanuel." (Emanuel quer dizer "Deus está conosco".)

Quando José acordou, fez o que o anjo do Senhor havia mandado e casou com Maria.

O canguru Pipoca diz:
- É hora de orar!

Vamos conversar

- Fale a respeito de uma regra que é difícil para você seguir.
- Qual é o modo de saber a coisa certa a fazer?

Querido Deus, assim como José, queremos confiar no Senhor, mesmo quando não sabemos o que fazer. Ajude-nos a fazer as coisas que o Senhor quer que façamos. Em nome de Jesus, amém.

CONEXÃO COM Jesus

Vou obedecer noite e dia

Lembre seu filho de que José fez o que Deus lhe disse para fazer. Enquanto você estiver ajudando a criança na hora de dormir, fale sobre as situações em que ela lhe obedeceu nesse dia. Quando acordar, peça-lhe que cite algumas maneiras de obedecer durante o dia.

A ovelhinha Tapioca diz:
– Vamos obedecer!

Deus mandou

Brinque de "Deus mandou" (do mesmo jeito que "Seu mestre mandou"). Cite coisas que Deus gostaria que vocês fizessem, tais como "Diga a alguém que Jesus o ama" ou "Diga bem alto: Deus é grande!", e comece cada frase com "Deus mandou...". Liste também tarefas divertidas, como "Pule num pé só" ou "Gire em círculo", mas não inicie essas com "Deus mandou...". Fale por que é importante confiar em Deus e fazer o que ele quer que façamos.

Assim como José, Jesus cresceu e obedeceu a Deus, mesmo quando era difícil.

Jesus

Lucas 2.1-7

Naquele tempo o imperador Augusto mandou uma ordem para todos os povos do Império. Todas as pessoas deviam se registrar a fim de ser feita uma contagem da população. Quando foi feito esse primeiro recenseamento, Cirênio era governador da Síria. Então todos foram se registrar, cada um na sua própria cidade.

Por isso José foi de Nazaré, na Galileia, para a região da Judeia, a uma cidade chamada Belém, onde tinha nascido o rei Davi. José foi registrar-se lá porque era descendente de Davi. Levou

Como o texto diz, recenseamento é a contagem da população que vive em determinado lugar. Vamos contar quantas pessoas vivem em nossa casa.

nasce

Caminhe pela
casa comigo,
fazendo cami-
nhos diferentes
e divertidos.
Vamos fazer de
conta que somos
Maria e José.

consigo Maria, com
quem tinha casa-
mento contra-
tado.

Observe a ilustração e diga por que a cama de Jesus é diferente da sua.

Ela estava grávida, e aconteceu que, enquanto se achavam em Belém, chegou o tempo de a criança nascer. Então Maria deu à luz o seu primeiro filho. Enrolou o menino em panos e o deitou numa manjedoura, pois não havia lugar para eles na pensão.

CONEXÃO COM Jesus — Jesus veio para a terra

O canguru Pipoca diz:
– É hora de orar!

Querido Deus, obrigado por nos enviar seu Filho, Jesus. Em nome de Jesus, amém.

Vamos conversar

- Você se lembra de um presente especial que você ganhou? Qual?
- Por que Jesus é ainda melhor que esse presente?

Canção da linha do tempo

Improvise uma melodia ou use uma já conhecida para cantar os seguintes versos com a criança e fazer os movimentos sugeridos entre parênteses:

A ovelhinha Tapioca diz:
– Vamos cantar!

Jesus foi dormir, Jesus foi dormir. *(repouse a cabeça sobre as mãos)*
Assim como você, assim como eu, Jesus foi dormir.
Jesus engatinhou, Jesus engatinhou. *(engatinhe pela sala)*
Assim como você, assim como eu, Jesus engatinhou.

Passos de bebê

Veja com a criança algumas ilustrações ou fotos de bebês. Conversem sobre as coisas que as crianças aprendem a fazer quando ainda são bebês e as coisas que Jesus teve de aprender quando era bebê.

porque ele nos ama!

Os pastores

Lucas 2.8-17

Faça cara de medo.

Naquela região havia pastores que estavam passando a noite nos campos, tomando conta dos rebanhos de ovelhas. Então um anjo do Senhor apareceu, e a luz gloriosa do Senhor brilhou por cima dos pastores. Eles ficaram com muito medo, mas o anjo disse:

Acenda todas as luzes e diga com volumes de voz diferentes: — Boa notícia! Jesus nasceu!

— Não tenham medo! Estou aqui a fim de trazer uma boa notícia para vocês, e ela será motivo de grande alegria também para todo o povo! Hoje mesmo, na cidade de Davi, nasceu o Salva-

e o bebê Jesus

dor de vocês — o   Messias, o Senhor!

Esta será a prova: vocês encontrarão uma crian-

cinha enrolada em panos e deitada numa manje-

doura.

No mesmo instante apareceu junto com o

anjo uma multidão de outros anjos, como se fos-

se um exército celestial. Eles cantavam hinos de

louvor a Deus, dizendo:

Faça de conta
que você está
segurando um
bebê.

— Glória a Deus nas maiores alturas do céu! E paz na terra para as pessoas a quem ele quer bem!

Quando os anjos voltaram para o céu, os pastores disseram uns aos outros:

— Vamos até Belém para ver o que aconteceu; vamos ver aquilo que o Senhor nos contou.

Eles foram depressa, e encontraram Maria e José, e viram o menino deitado na manjedoura. Então contaram o que os anjos tinham dito a respeito dele.

— Boa notícia! Jesus nasceu!

Corra o mais rápido que você puder pela sala e depois volte e encontre Jesus na ilustração.

O canguru Pipoca diz:
– É hora de orar!

Querido Deus, queremos louvá-lo como os anjos o louvaram, porque o Senhor é amoroso, perfeito e poderoso. Em nome de Jesus, amém.

Vamos conversar

- Se você visse um anjo, como os pastores viram, o que faria?
- Qual é a boa notícia sobre Jesus que você pode contar a alguém?

CONEXÃO COM Jesus

Passe adiante

Pense nas pessoas para quem a criança poderia contar sobre o nascimento de Jesus. Incentive-a a prosseguir contando às pessoas a boa notícia de que Jesus as ama.

A ovelhinha Tapioca diz:
— Vamos contar a todos sobre Jesus!

Dedos pastores

Com a criança, erga três dedos de uma mão como se fossem pastores. Depois, erga um dedo da outra mão para ser o anjo. E em seguida o anjo conta a boa notícia de Jesus para os pastores. Agora, erga todos os outros dedos da mão do anjo e mostre como eles louvaram a Deus. Mexa os dedos dessa mão enquanto você louva a Deus dizendo-lhe o quanto ele é grande.

Os pastores ficaram sabendo de Jesus e contaram às pessoas.
Nós também podemos falar de Jesus para as pessoas!

Os sábios

Jesus nasceu na cidade de Belém, na região da Judeia, quando Herodes era rei da terra de Israel. Nesse tempo alguns homens que estudavam as estrelas vieram do Oriente e chegaram a Jerusalém. Eles perguntaram:

Faça de conta que meu dedo é uma estrela. Siga-a pela sala.

— Onde está o menino que nasceu para ser o rei dos judeus? Nós vimos a estrela dele no Oriente e viemos adorá-lo.

visitam Jesus

Mateus 2.1-11

Quando o rei Herodes soube disso, ficou muito preocupado, e todo o povo de Jerusalém também ficou. Então Herodes reuniu os chefes dos sacerdotes e os mestres da Lei e perguntou onde devia nascer o Messias. Eles responderam:

— Na cidade de Belém, na região da Judeia, pois o profeta escreveu o seguinte: "Você, Belém, da terra de Judá, de modo nenhum é a menor entre as principais cidades de Judá, pois de você sairá o líder que guiará o meu povo de Israel."

Então Herodes chamou os visitantes do Oriente para uma reunião secreta e perguntou qual o tempo exato em que a estrela havia aparecido; e eles disseram. Depois os mandou a Belém com a seguinte ordem:

Coloque as mãos no topo da cabeça para servirem de coroa.

— Vão e procurem informações bem certas sobre o menino. E, quando o encontrarem, me avisem, para eu também ir adorá-lo.

Depois de receberem a ordem do rei, os visitantes foram embora. No caminho viram a estrela, a mesma que tinham visto no Oriente. Ela foi adiante deles e parou acima do lugar onde o menino estava.  Quando viram a estrela, eles ficaram muito alegres e felizes. Entraram

Aponte a estrela em todas as ilustrações desta história.

na casa e encontraram o menino com Maria, a sua mãe. Então se ajoelharam diante dele e o adoraram. Depois abriram os seus cofres e lhe ofereceram presentes: ouro, incenso e mirra.

Conte os presentes que os sábios estão dando a Jesus.

Adore Jesus, dizendo a ele o quanto você o ama.

CONEXÃO COM Jesus

Os sábios deram presentes para Jesus. Mas Jesus é um presente para nós. Ele é o melhor presente!

Presente de amor

Quando você estiver fazendo compras, deixe seu filho escolher um presente simples para dar a alguém especial. Depois, ajude-o a embrulhar o presente em casa e então presentear alguém e dizer como os sábios levaram presentes para Jesus.

A ovelhinha Tapioca diz:
- Vamos comprar um presente!

Caça ao tesouro

Convide a criança para brincar de caça ao tesouro. Cada um deve, na sua vez, esconder um objeto especial. Aquele que escondeu o objeto erguerá a mão como se fosse uma estrela brilhante orientando a outra na busca ao tesouro. Fale sobre como Deus enviou uma estrela para mostrar aos sábios como encontrar Jesus, o maior tesouro de todos.

O canguru Pipoca diz:
- É hora de orar!

Vamos conversar

- Se você fosse um dos sábios, que presente daria a Jesus?
- A estrela ajudou os sábios a encontrar Jesus. De que maneira você pode ajudar as pessoas a aprender sobre Jesus?

Querido Deus, assim como os sábios, ajude-nos a procurar pelo Senhor no caminho que o Senhor nos mostrar. Em nome de Jesus, amém.

Jesus é apresentado no Templo

Lucas 2.21-33

Uma semana depois, quando chegou o dia de circuncidar o menino, puseram nele o nome de Jesus. Pois o anjo tinha dado esse nome ao menino antes de ele nascer.

Balance os braços como se você estivesse segurando um bebê.

Chegou o dia de Maria e José cumprirem a cerimônia da purificação, conforme manda a Lei de Moisés. Então eles levaram a criança para Jerusalém a fim de apresentá-la ao Senhor.

Em Jerusalém morava um homem chamado Simeão. Ele era bom e piedoso e esperava a salvação do povo de Israel. O Espírito Santo estava com ele, e o próprio Espírito lhe tinha prometido que, antes de morrer, ele iria ver o Messias enviado pelo Senhor.

Guiado pelo Espírito, Simeão foi ao Templo. Quando os pais levaram o menino Jesus ao Templo para fazer o que a Lei manda, Simeão pegou o menino no colo e louvou a Deus. Ele disse:

Simeão era bem idoso. Mostre como um homem idoso anda arqueado.

233

— Agora, Senhor, cumpriste a promessa que fizeste e já podes deixar este teu servo partir em paz. Pois eu já vi com os meus próprios olhos a tua salvação, que preparaste na presença de todos os povos: uma luz para mostrar o teu caminho a todos os que não são judeus e para dar glória ao teu povo de Israel.

Diga duas coisas boas sobre Jesus.

O pai e a mãe do menino ficaram admirados com o que Simeão disse a respeito dele.

CONEXÃO
COM Jesus   Simeão esperou muito pela vinda de Jesus.

Louvor na estrada

Da próxima vez que você sair de carro ou for viajar com a família, dedique uns momentos para louvar a Deus como fez Simeão. Peça para cada pessoa que estiver no carro dizer algumas palavras de agradecimento e louvor a Deus.

A ovelhinha Tapioca diz:
– Vamos louvar a Deus!

Poesia em ação

Convide a criança para recitar o poema e realizar as ações sugeridas:

Jesus foi um bebê especial *(embale um bebê nos braços)*

enviado do céu para a vida terrena. *(aponte para o céu e depois abra os braços ao redor)*

Jesus mostra que Deus é essencial *(coloque as mãos ao redor dos olhos)*

para toda a gente, grande ou pequena! *(fique na ponta dos pés bem alto e depois agache)*

Vamos conversar

- O que torna Jesus diferente dos outros bebês?
- O que surpreende você em relação a Jesus?

O canguru Pipoca diz:
– É hora de orar!

Querido Deus, obrigado por enviar Jesus para viver entre nós. Agora ele vive no céu. Mas também está conosco. Queremos ficar maravilhados com Jesus, como ficou Simeão! Em nome de Jesus, amém.

Mas nós não temos de esperar. Jesus está conosco o tempo todo!

O menino Jesus com os mestres da Lei

Lucas 2.41-52

Vamos à festa! Bata palmas e grite: — Uh-uh!

Todos os anos os pais de Jesus iam a Jerusalém para a Festa da Páscoa.  Quando Jesus tinha doze anos, eles foram à Festa, conforme o seu costume.

Depois que a Festa acabou, eles começaram a viagem de volta para casa. Mas Jesus tinha fi-

Vou esconder um de seus brinque-dos. Vamos ver se você conse-gue achá-lo!

cado em Jerusalém, e os seus pais não sabiam disso. Eles pensavam que ele estivesse no grupo de pes-soas que vinha voltando e por isso viajaram o dia todo. Então começaram a procurá-lo entre os parentes e amigos. Como não o encontraram, voltaram a Jerusalém para procurá-lo. Três dias depois encontraram o menino num dos pátios do Templo, sentado no meio dos mestres da Lei, ouvindo-os e fazendo perguntas a eles. Todos os que o ouviam estavam muito admirados com a sua inteligência e com as respostas que dava. Quando os

Você pode pen-sar numa per-gunta que gos-taria de fazer a um professor?

pais viram o menino, também ficaram admirados. E a sua mãe lhe disse:

— Meu filho, por que foi que você fez isso conosco? O seu pai e eu estávamos muito aflitos procurando você.

Jesus respondeu:

— Por que vocês estavam me procurando? Não sabiam que eu devia estar na casa do meu Pai?

Mas eles não entenderam o que ele disse.

Então Jesus voltou com os seus pais para Nazaré e continuava a ser obediente a eles. E a sua mãe guardava tudo isso no coração.

Conforme crescia, Jesus ia crescendo também em sabedoria, e tanto Deus como as pessoas gostavam cada vez mais dele.

CONEXÃO
COM Jesus

Caminhada até a igreja

Faça um passeio especial à sua igreja: faça um *tour* pelas dependências pouco antes de o culto começar. Incentive a criança a fazer perguntas sobre a igreja enquanto vocês caminham juntos.

A ovelhinha Tapioca diz:
- Vamos fazer uma caminhada!

Um forte especial

Coloque uma colcha entre duas cadeiras como se fosse um forte. Faça de conta que o forte é uma igreja. Coloque almofadas e brinquedos dentro do forte e convide a criança para entrar nele. Converse com a criança sobre as coisas que tornam o forte um lugar tão divertido. Depois, fale por que você gosta de estar na igreja de Deus.

Vamos conversar

• Fale de um lugar que você gosta tanto de ir que não quer sair.
• O que torna especial a ida à igreja?

O canguru Pipoca diz:
- É hora de orar!

Querido Deus, Jesus queria estar na casa do Senhor e nós também queremos. Ajude-nos a aprender sobre o Senhor na igreja e também em todos os outros lugares. Em nome de Jesus, amém.

Podemos fazer perguntas sobre Deus e Jesus para as pessoas.

Encolha os ombros como se você não soubesse o que dizer.

Naqueles dias, Jesus foi da Galileia até o rio Jordão a fim de ser batizado por João Batista. Mas João tentou convencê-lo a mudar de ideia, dizendo assim:

— Eu é que preciso ser batizado por você, e você está querendo que eu o batize?

Mas Jesus respondeu:

— Deixe que seja assim agora, pois é dessa maneira que faremos tudo o que Deus quer.

E João concordou.

é batizado

Mateus 3.13-17

Deus ficou feliz com Jesus. Mostre-me como você fica quando está alegre.

Logo que foi batizado, Jesus saiu da água. O céu se abriu, e Jesus viu o Espírito de Deus descer como uma pomba e pousar sobre ele. E do céu veio uma voz, que disse:

— Este é o meu Filho querido, que me dá muita alegria!

Bata os braços como se fossem asas de um pássaro.

CONEXÃO COM Jesus

O canguru Pipoca diz:
- É hora de orar!

Querido Deus, queremos que o Senhor saiba o quanto nós o amamos e nos ajude a fazer coisas que o deixam alegre. Em nome de Jesus, amém.

Vamos conversar

- De que forma você pode deixar Deus alegre?
- De que maneira você pode mostrar seu amor por Deus?

Debaixo d'água

Quando seu filho for tomar banho, repasse a história do batismo de Jesus. Conte à criança que ser batizado é um modo especial de as pessoas mostrarem que amam Deus. É diferente de tomar banho ou nadar. Fale sobre os batismos em sua família e em sua igreja.

A ovelhinha Tapioca diz:
- Vamos tomar banho!

Bom trabalho!

Ao longo do dia, observe seu filho seguindo as instruções que você lhe dá. Em cada ocasião, abane as mãos como uma pomba e diga:

— Você é meu filho e me deixa muito feliz!

Conversem sobre as coisas que Jesus fez e que alegraram Deus.

Podemos alegrar o coração de Deus exatamente como Jesus alegrou.

Jesus é

Mateus 4.1-11

Então o Espírito Santo levou Jesus ao deserto para ser tentado pelo Diabo. E, depois de passar quarenta dias e quarenta noites sem comer, Jesus estava com fome. Então o Diabo chegou perto dele e disse:

— Se você é o Filho de Deus, mande que estas pedras virem pão.

Imite o barulho da barriga de Jesus roncando de fome.

tentado

Jesus respondeu:

— As Escrituras Sagradas afirmam: "O ser humano não vive só de pão, mas vive de tudo o que Deus diz."

Aponte as pedras na ilustração.

Quando eu disser "Pule!", você deve pular e se agachar. Quando eu dis-ser "Não pule!", você deve ficar parado.

Em seguida o Diabo levou Jesus até Jerusa-lém, a Cidade Santa, e o colocou no lugar mais alto do Templo. Então disse:

— Se você é o Filho de Deus, jogue-se daqui, pois as Escrituras Sagradas afirmam: "Deus mandará que os seus anjos cuidem de você. Eles

vão segurá-lo com
as suas mãos, para que
nem mesmo os seus pés sejam
feridos nas pedras."

Jesus respondeu:

— Mas as Escrituras Sagradas também dizem: "Não ponha à prova o Senhor, seu Deus."

Depois o Diabo levou Jesus para um monte muito alto, mostrou-lhe todos os reinos do mundo e as suas grandezas e disse:

— Eu lhe darei tudo isso se você se ajoelhar e me adorar.

Diga bem alto:
- Não!

Jesus respondeu:

— Vá embora, Satanás! As Escrituras Sagradas afirmam: "Adore o Senhor, seu Deus, e sirva somente a ele."

Então o Diabo foi embora, e vieram anjos e cuidaram de Jesus.

— Não!

— Adore somente Deus!

Aponte para o alto e diga:
— Adore somente Deus!

CONEXÃO COM Jesus

Quando precisar saber o jeito certo

Vamos conversar

- Jesus amava a Bíblia, o livro de Deus. O que você mais ama na Bíblia?
- Jesus conhecia a Bíblia. Que coisas você sabe que a Bíblia diz?

Querido Deus, obrigado pela Bíblia, que transmite as suas palavras para nos ensinar como viver. Em nome de Jesus, amém.

O canguru Pipoca diz:
- É hora de orar!

João 3.16

Lembre a criança de que Jesus sabia o que a Bíblia diz. Estudar a Bíblia pode nos ajudar a fazer boas escolhas. Com a ajuda da criança, leia a primeira parte de João 3.16: "Porque Deus amou o mundo tanto, que deu o seu único Filho." Fale sobre o significado desse versículo enquanto estiver no trânsito durante a semana.

Folheando a Bíblia

Convide a criança para folhear esta publicação e observar as ilustrações. Peça-lhe que procure ilustrações de pessoas fazendo coisas boas. Fale sobre o que é bom em cada ilustração e como isso pode ajudar a identificar o que é certo fazer. Se a criança já conhecer a história, reveja com ela como aquelas pessoas obedeceram a Deus.

A ovelhinha Tapioca diz:
- Vamos procurar ilustrações!

de viver, você pode ler a Bíblia e descobrir as coisas que Jesus fazia!

Jesus

Jesus subiu num barco, e os seus discípulos foram com ele. De repente, uma grande tempestade agitou o lago, de tal maneira que as ondas começaram a cobrir o barco. E Jesus estava dormindo. Os discípulos chegaram perto dele e o acordaram, dizendo:

— Socorro, Senhor! Nós vamos morrer!

— Por que é que vocês são assim tão medrosos? — respondeu Jesus. — Como é pequena a fé que vocês têm!

Bata palmas para fazer sons de trovão. Balance os braços para frente e para trás como se fossem ondas gigantes.

acalma a tempestade

Ele se levantou, falou duro com o vento e com as ondas, e tudo ficou calmo. Então todos ficaram admirados e disseram:

Faça de conta que você é um dos discípulos que estão com medo. Como você acordaria Jesus?

— Que homem é este que manda até no vento e nas ondas?!

Olhe ao redor
com cara de
surpresa.

CONEXÃO
COM Jesus

Jesus parou a tempestade e afastou o medo

O canguru Pipoca diz:
— É hora de orar!

Querido Deus, ajude-nos a lembrar de lhe pedir socorro quando estivermos com medo, exatamente como os discípulos fizeram. Afaste os nossos medos, assim como o Senhor afastou a tempestade. Em nome de Jesus, amém.

Vamos conversar

- O que lhe dá medo?
- De que maneira você gostaria que Jesus lhe ajudasse quando você está com medo?

Águas tempestuosas

A ovelhinha Tapioca diz:
— Vamos fazer ondas!

Encha uma bacia grande com água. Para ficar mais divertido, coloque nela alguns brinquedos de plástico. Convide a criança para agitar a água a fim de produzir ondas. Peça-lhe para parar de mexer na água quando você disser "Jesus pode parar a tempestade!" Observe pacientemente como a água se acalma.

Vento intenso

Use blocos de brinquedo e almofadas para construir um barco com a criança. Sentem-se e balancem o corpo para frente e para trás, como se estivessem mesmo em meio a uma tempestade. Depois, parem e fiquem totalmente em silêncio. Por fim, gritem juntos:

— Jesus pode parar a tempestade!

dos discípulos. Jesus pode afastar nossos medos também!

Jesus anda sobre a água

Mateus 14.22-33

Logo depois, Jesus ordenou aos discípulos que subissem no barco e fossem na frente para o lado oeste do lago, enquanto ele mandava o povo embora. Depois de mandar o povo embora, Jesus subiu um monte a fim de orar sozinho. Quando chegou a noite, ele estava ali, sozinho. Naquele momento o barco já estava no meio do lago. E as ondas batiam com força no barco porque o

Balance como se estivesse num barco. Depois, assopre para produzir um vento bem forte. Veja se você consegue virar a página com seu sopro!

vento soprava contra ele. Já de madrugada, entre as três e as seis horas, Jesus foi até lá, andando em cima da água. Quando os discípulos viram Jesus andando em cima da água, ficaram apavorados e exclamaram:

— É um fantasma! — E gritaram de medo.

Nesse instante Jesus disse:

— Coragem! Sou eu! Não tenham medo!

Então Pedro disse:

— Se é o senhor mesmo, mande que eu vá andando em cima da água até onde o senhor está.

Faça cara de medo.

— Venha! — respondeu Jesus.

Atravesse a sala e volte até mim, como se você estivesse andando sobre a água.

Pedro saiu do barco e começou a andar em cima da água, em direção a Jesus. Porém, quando sentiu a força do vento, ficou com medo e começou a afundar. Então gritou:

— Socorro, Senhor!

Imediatamente Jesus estendeu a mão, segurou Pedro e disse:

— Como é pequena a sua fé! Por que você duvidou?

Então os dois subiram no barco, e o vento se acalmou. E os discípulos adoraram Jesus, dizendo:

— De fato, o senhor é o Filho de Deus!

Feche os olhos. Você consegue sentir meu braço ao seu redor? Faça de conta que é Jesus, e lembre-se de que Jesus está sempre com você, mesmo quando não conseguir senti-lo.

CONEXÃO COM Jesus

Cantando!

Usando uma melodia conhecida, cante os seguintes versos com a criança:

**Jesus andou em cima da água,
em cima da água do lago.
Pedro não conseguiu andar
em cima da água do lago
e começou a afundar!**

A ovelhinha Tapioca diz:
– Vamos cantar!

Hora do banho

Na hora do banho, ajude seu filho a reunir objetos variados que sejam à prova d'água. Pergunte-lhe o que vai flutuar e o que vai afundar. Se você não tiver banheira, leve uma bacia para o chuveiro. Passe os objetos para a criança testá-los. Depois, fale que, embora Jesus não queira que tentemos andar sobre a água, como ele e Pedro andaram, ele pode nos ajudar a fazer outras coisas incríveis.

Vamos conversar

- O que você faria se visse Jesus andando sobre a água?
- Deus não criou as pessoas para andar sobre a água. Mas qual outra grande coisa que Jesus pode nos ajudar a fazer?

O canguru Pipoca diz:
– É hora de orar!

Querido Deus, obrigado porque o Senhor pode fazer qualquer coisa. Em nome de Jesus, amém.

Jesus é o Filho de Deus e pode fazer qualquer coisa!

O rosto brilhante

Mateus 17.1-9

Seis dias depois, Jesus foi para um monte alto, levando consigo somente Pedro e os irmãos Tiago e João. Ali, eles viram a aparência de Jesus mudar: o seu rosto ficou brilhante como o sol, e as suas roupas ficaram brancas como a luz. E os três discípulos viram Moisés e Elias conversando com Jesus. Então Pedro disse a Jesus:

— Como é bom estarmos aqui, Senhor! Se o senhor quiser, eu armarei três barracas neste lugar: uma para o senhor, outra para Moisés e outra para Elias.

Coloque as mãos no rosto, com os dedos abertos como raios de sol.

de Jesus

Aponte Moisés e Elias na ilustração. Agora, aponte Jesus.

Enquanto Pedro estava falando, uma nuvem brilhante os cobriu, e dela veio uma voz, que disse:

— Este é o meu Filho querido, que me dá muita alegria. Escutem o que ele diz!

Quando os discípulos ouviram a voz, ficaram com tanto medo, que se ajoelharam e encostaram o rosto no chão.  Jesus veio, tocou neles e disse:

Mostre como você ficaria se estivesse com muito medo.

— Levantem-se e não tenham medo!

Então eles olharam em volta e não viram ninguém, a não ser Jesus.

Quando estavam descendo do monte, ele lhes deu esta ordem:

— Não contem para ninguém o que viram até que o Filho do Homem seja ressuscitado.

Ponha seu dedo indicador na frente da boca e faça psiiiiuuuu, pedindo silêncio.

O canguru Pipoca diz:
- É hora de orar!

Querido Deus, obrigado por nos mostrar o quanto o Senhor é maravilhoso. Em nome de Jesus, amém.

Onde está Moisés?

Mostre à criança a ilustração de Jesus conversando com Elias e Moisés. Depois, ajude-a a encontrar outra ilustração de Elias na página 138 e de Moisés na página 73. Fale sobre o quanto deve ter sido maravilhoso para Pedro, Tiago e João verem esses homens, que tinham vivido muito tempo atrás, falando com Jesus.

CONEXÃO COM Jesus Um dia, no céu, não precisaremos

Brilhando como Jesus

Revezem-se ao segurar uma lanterna debaixo do queixo para iluminar o rosto. Fale por que você acha que o rosto de Jesus brilhou.

A ovelhinha Tapioca diz:
– Vamos brilhar!

Vamos conversar

- O que é maravilhoso em relação a Jesus?
- O que você faria se visse Jesus brilhando como a luz?

mais de luz, porque Jesus estará lá brilhando como o sol!

Jesus

Algumas pessoas levaram as suas crianças a Jesus para que ele as abençoasse, mas os discípulos repreenderam aquelas pessoas. Quando viu isso, Jesus não gostou e disse:

— Deixem que as crianças venham a mim e não proíbam que elas façam isso, pois o Reino de Deus é das pessoas que são como estas crianças.

Ponha sua mão sobre a cabeça, como Jesus fez com as crianças.

ama as crianças

Marcos 10.13-16

Eu afirmo a vocês que isto é verdade: quem não receber o Reino de Deus como uma criança nunca entrará nele.

Movimente-se e, como se estivesse falando com as crianças, diga:
—Venham, crianças!

Então Jesus abraçou as crianças e as abençoou, pondo as mãos sobre elas.

— Venham, crianças!

Dê-me um abraço forte, como daria em Jesus se você tivesse estado lá naquele dia. Que Deus o abençoe!

CONEXÃO COM Jesus

O canguru Pipoca diz:
- É hora de orar!

Querido Deus, obrigado por nos amar e querer que nos aproximemos do Senhor como seus filhos. Em nome de Jesus, amém.

Vamos conversar

- Por que você é especial para Jesus?
- O que Jesus faz para mostrar que ama você?

Bênção na hora de dormir

A ovelhinha Tapioca diz:
- Vamos cantar!

Na hora de dormir, faça uma oração breve com seu filho. Depois, cante para ele uma música que fale do amor de Jesus pelas crianças. Fale que Jesus ama todas as crianças e cite coisas específicas que Jesus ama em seu filho.

Cartão ilustrado

Façam um cartão juntos. Dobre um pedaço de cartolina ao meio e escreva "Jesus ama as crianças!" do lado de fora. Dentro, a criança pode fazer um desenho ou colar uma foto dela com algum amigo. Sugira a ela que dê o cartão para o amigo da foto e que lhe diga que Jesus o ama.

Jesus amava as crianças na Bíblia. E Jesus ama você!

O homem rico fala com Jesus

Marcos 10.17-25

Quando Jesus estava saindo de viagem, um homem veio correndo, ajoelhou-se na frente dele e perguntou:

— Bom Mestre, o que devo fazer para conseguir a vida eterna?

Corra sem sair do lugar e depois se ajoelhe.

Jesus respondeu:

— Por que você me chama de bom? Só Deus é bom, e mais ninguém. Você conhece os mandamentos: "Não mate, não cometa adultério, não roube, não dê falso testemunho contra ninguém, não tire nada dos outros, respeite o seu pai e a sua mãe."

— Mestre, desde criança eu tenho obedecido a todos esses mandamentos! — respondeu o homem.

Jesus olhou para ele com amor e disse:

— Falta mais uma coisa para você fazer: vá, venda tudo o que tem e dê o dinheiro aos pobres e assim você terá riquezas no céu. Depois venha e me siga.

Conte-me algumas regras a que você tem obedecido.

267

faça de conta que você está segurando todas as suas coisas tão junto de você que ninguém consegue pegar.

Quando o homem ouviu isso, fechou a cara; e, porque era muito rico, foi embora triste. Jesus então olhou para os seus discípulos, que estavam em volta dele, e disse:

— Como é difícil os ricos entrarem no Reino de Deus!

Quando ouviram isso, os discípulos ficaram espantados, mas Jesus continuou:

— Meus filhos, como é difícil entrar no Reino de Deus! É mais difícil um rico entrar no Reino de Deus do que um camelo passar pelo fundo de uma agulha.

Vou fazer um pequeno círculo com as mãos. Veja quais brinquedos você consegue fazer passar por esse círculo. Veja se você consegue passar!

CONEXÃO COM Jesus

Jesus deu sua própria vida a fim

268

Quanto é o suficiente?

A ovelhinha Tapioca diz:
- Vamos contar!

Juntos, contem quantos brinquedos há no quarto do seu filho. Depois, pergunte-lhe com quais brinquedos ele não brinca muito e se gostaria de doá-los. Peça para a criança escolher pelo menos um brinquedo em bom estado e doá-lo em alguma igreja. (Observação: para uma criança pequena, pode ser que essa escolha seja muito difícil. Você pode ajudá-la a escolher um item de vestuário, se for o caso.)

Fundo de uma agulha

Mostre uma agulha de costura para a criança, mas não a deixe segurá-la. Aponte o fundo da agulha e pergunte se um camelo poderia passar por ali. Conte à criança o quanto é difícil chegar perto de Deus quando achamos que as nossas coisas são mais importantes que ele. Diga por que é difícil deixar que Deus seja mais importante que tudo. Depois, orem um pelo outro.

Vamos conversar

- Se Jesus lhe pedisse para dar algo, qual das suas coisas seria mais difícil de doar?
- O que você pode fazer para mostrar a Jesus que ele é mais importante para você do que qualquer uma das suas coisas?

O canguru Pipoca diz:
- É hora de orar!

Querido Deus, por favor, nos ajude a amá-lo mais do que amamos as nossas coisas. Em nome de Jesus, amém.

de que pudesse ser nosso amigo para sempre!

Jesus cura

Marcos 10.46-52

Jesus e os discípulos chegaram à cidade de Jericó. Quando ele estava saindo da cidade, com os discípulos e uma grande multidão, encontrou um cego chamado Bartimeu, filho de Timeu. O cego estava sentado na beira do caminho, pedindo esmola. Quando ouviu alguém dizer que era Jesus de Nazaré que estava passando, o cego começou a gritar:

— Jesus, Filho de Davi, tenha pena de mim!

Muitas pessoas o repreenderam e mandaram que ele calasse a boca, mas ele gritava ainda mais:

Cubra os olhos para saber como seria se você não conseguisse enxergar.

Grite, chamando Jesus, o mais alto que você puder.

270

o cego

— Filho de Davi, tenha pena de mim!

Então Jesus parou e disse:

— Chamem o cego.

Eles chamaram e lhe disseram:

— Coragem! Levante-se porque ele está chamando você!

Então Bartimeu jogou a sua capa para um lado, levantou-se depressa e foi até o lugar onde Jesus estava.

O cego foi até Jesus. Tampe os olhos outra vez enquanto eu conduzo você pela sala.

— O que é que você quer que eu faça? — perguntou Jesus.

— Mestre, eu quero ver de novo! — respondeu ele.

— Vá; você está curado porque teve fé! — afirmou Jesus.

No mesmo instante, Bartimeu começou a ver de novo e foi seguindo Jesus pelo caminho.

Abra os olhos. Agora você consegue ver! Você pode andar sozinho pela sala e voltar até aqui.

O canguru Pipoca diz:
- É hora de orar!

Querido Deus, sabemos que o Senhor pode fazer qualquer coisa. Ajude-nos a confiar no seu Filho, Jesus, em todos os momentos da nossa vida. Em nome de Jesus, amém.

Chamando Jesus

Quando os membros da sua família estiverem diante de desafios, incentivem uns aos outros a pedir a ajuda de Jesus, como fez o cego de Jericó. Use esta rima de lembrete:

Como o cego, podemos gritar!
Jesus sempre virá nos salvar!

CONEXÃO
COM Jesus

Pega-pega

Brinque de pega-pega de um jeito diferente. Uma pessoa deve ser vendada para fazer o papel de "cego". Ela pode andar pela sala dizendo: "Não consigo enxergar!" Os demais jogadores devem se deslocar devagar, nunca correndo, e responder: "Venha aqui!", até que o "cego" consiga pegar alguém. Depois da brincadeira, fale sobre como seria se vocês fossem cegos de verdade e agradeça a Jesus pelo grande presente que é poder enxergar!

A ovelhinha Tapioca diz:
– Vamos brincar!

Vamos conversar

- Faça de conta que você é o cego da história. Qual seria a primeira coisa que você faria quando conseguisse enxergar?
- Se Jesus viesse para a nossa cidade, o que você pediria para ele lhe fazer?

Jesus nos ouve e nos ajuda nas nossas dificuldades!

Jesus cura um paralítico

Lucas 5.18-26

Alguns homens trouxeram um paralítico deitado numa cama e estavam querendo entrar na casa e colocá-lo diante de Jesus. Porém, por causa da multidão, não conseguiram entrar com o paralítico. Então o carregaram para cima do telhado. Fizeram uma abertura nas telhas e o desceram na sua cama em frente de Jesus, no meio

O paralítico não conseguia andar. Faça de conta que você é esse homem. Vou pegar você e, com cuidado, vou colocá-lo no chão.

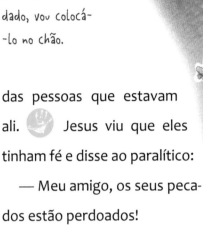

das pessoas que estavam ali. Jesus viu que eles tinham fé e disse ao paralítico:

— Meu amigo, os seus pecados estão perdoados!

Os mestres da Lei e os fariseus começaram a pensar:

— Quem é este homem que blasfema contra Deus desta maneira? Ninguém pode perdoar pecados; só Deus tem esse poder.

Porém Jesus sabia o que eles estavam pensando e disse:

— Por que vocês estão pensando assim? O que é mais fácil dizer ao paralítico: "Os seus pecados estão perdoados" ou "Levante-se e ande"? Pois vou

Os fariseus ficaram bravos com Jesus. Faça cara de bravo.

275

Fique de pé e pule
sem sair do lugar.

mostrar a vocês que eu, o Filho do Homem, tenho poder na terra para perdoar pecados.

Então disse ao paralítico:

— Eu digo a você: levante-se, pegue a sua cama e vá para casa.

No mesmo instante o homem se levantou diante de todos, pegou a cama e foi para casa, louvando a Deus. Todos ficaram muito admirados; e, cheios de medo, louvaram a Deus, dizendo:

Erga as mãos
e diga:
— Deus, você
é maravilhoso!

— Que coisa maravilhosa nós vimos hoje!

— Deus, você é maravilhoso!

CONEXÃO COM Jesus

Podemos levar nossos amigos até Jesus,

Imóvel

Peça à criança para deitar, se esticar e tentar não se mexer. Fale sobre como seria ficar paralítico e como deve ter sido quando o paralítico pôde andar pela primeira vez. Depois, pensem em outras coisas maravilhosas que Jesus faz.

Abaixando devagar

Amarre um clipe de papel num pedaço comprido de barbante. Coloque um copo de plástico no chão. Reveze a vez com a criança na brincadeira: ficar de pé, bem reto, e, segurando o barbante, tentar baixar o clipe até o copo plástico, do mesmo jeito que os amigos do paralítico fizeram com a cama dele. Após cada tentativa bem-sucedida, pare e agradeça Jesus por alguma coisa.

Vamos conversar

- Se houvesse uma multidão ao redor de Jesus nesta sala, como você faria para chegar até ele?
- Fale sobre alguma ocasião em que Jesus ajudou você ou algum conhecido.

Querido Deus, sabemos que o Senhor pode perdoar nossos pecados e pode nos curar quando estivermos doentes, se essa for a sua vontade. Nós o louvamos porque o Senhor é maravilhoso! Em nome de Jesus, amém.

ao contar-lhes algumas das nossas histórias favoritas sobre Jesus.

Jesus cura

Lucas 8.40-55

Erga os braços e diga a Jesus: "Bem-vindo!"

Quando Jesus voltou para o lado oeste do lago, a multidão o recebeu com alegria, pois todos tinham ficado ali à espera dele. Então chegou um homem chamado Jairo, que era chefe da sinagoga daquele lugar. Ele se jogou aos pés de Jesus e pediu com insistência que fosse até a sua casa porque a sua filha única, de doze anos, estava morrendo.

278

a filha de Jairo

Enquanto Jesus ia caminhando, a multidão o apertava de todos os lados. Nisto, chegou uma mulher que fazia doze anos que estava com uma hemorragia. Ela havia gastado com os médicos

Encontre um tecido para tocar.

tudo o que tinha, mas ninguém havia conseguido curá-la. Ela foi por trás de Jesus e tocou na barra da capa dele,  e logo o sangue parou de escorrer. Aí Jesus perguntou:

— Quem foi que me tocou?

Todos negaram. Então Pedro disse:

— Mestre, todo o povo está rodeando o senhor e o está apertando.

Mas Jesus disse:

— Alguém me tocou, pois eu senti que de mim saiu poder.

Então a mulher, vendo que não podia mais ficar escondida, veio, tremendo, e se atirou aos

Imite os sons de quem está chorando bem alto.

pés de Jesus. E, dian-
te de todos, contou a
Jesus por que tinha tocado
nele e como havia sido curada
na mesma hora. Aí Jesus disse:

— Minha filha, você sarou porque teve fé! Vá em paz.

Jesus ainda estava falando, quando chegou da
casa de Jairo um empregado, que disse:

— Seu Jairo, a menina já morreu. Não aborre-
ça mais o Mestre.

Jesus ouviu isso e disse a Jairo:

— Não tenha medo; tenha fé, e ela ficará boa.

Quando Jesus chegou à casa de Jairo, deixou
que Pedro, João e Tiago entrassem com ele, além
do pai e da mãe da menina, e mais ninguém.

Todos os que estavam ali choravam e se lamen-
tavam por causa da menina. Então Jesus disse:

— Não chorem, a menina não morreu; ela
está dormindo.

Mostre como
deve ter fica-
do o rosto de
Jairo com essa
notícia triste.

Aí começaram a caçoar dele porque sabiam que ela estava morta. Mas Jesus foi, pegou-a pela mão e disse bem alto:

— Menina, levante-se!

Levante-se bem depressa!

Ela tornou a viver e se levantou imediatamente. Aí Jesus mandou que dessem comida a ela.

CONEXÃO COM Jesus

Querido Deus, obrigado por nos mostrar que o Senhor cuida das pessoas. Ajude-nos de um modo especial quando estivermos tristes. Em nome de Jesus, amém.

Vamos conversar

- O que deixa você triste?
- O que você pode dizer para Jesus quando estiver triste e precisar de ajuda?

Levante-se

Nesta semana, quando você for acordar seu filho pela manhã ou depois de uma soneca, diga gentilmente:

— Meu filho, levante-se!

Abrace a criança e depois fale sobre como Jesus ajudou Jairo e a família dele.

O canguru Pipoca diz:
— É hora de orar!

Primeiros socorros

Com a ajuda do seu filho, confira a caixa de medicamentos da família para ver se está em ordem. Deixe a criança contar quantas caixinhas de remédio há na caixa. Reponha o que for necessário. Coloque uma ilustração de Jesus na caixa para você se lembrar de orar quando alguém da família estiver doente. Fale sobre como a ajuda de Jesus é ainda melhor que qualquer remédio.

A ovelhinha Tapioca diz:
— Vamos organizar!

Jesus pode nos ajudar, mesmo quando ninguém mais puder!

O bom samaritano

Lucas 10.29-37

O mestre da Lei, querendo se desculpar, perguntou:

— Mas quem é o meu próximo?

Jesus respondeu:

— Um homem estava descendo de Jerusalém para Jericó. No caminho alguns ladrões o

Caminhe pela sala e volte, ficando bem perto de uma parede.

assaltaram, tiraram a sua roupa, bateram nele e o deixaram quase morto. Acontece que um sacerdote estava descendo por aquele mesmo caminho. Quando viu o homem, tratou de passar pelo outro lado da estrada. Também um levita passou por ali. Olhou e também foi embora pelo outro lado da estrada. Mas um samaritano que estava viajando por aquele caminho chegou até ali. Quando viu o homem, ficou com muita pena dele. Então chegou perto dele, limpou os seus ferimentos com azeite e vinho e em seguida os enfaixou. De pois disso, o

Aponte para o lugar onde fica a caixa de remédios da família.

285

Mostre-me as moedas nesta ilustração.

samaritano colocou-o no seu próprio animal e o levou para uma pensão, onde cuidou dele. No dia seguinte, entregou duas moedas de prata ao dono da pensão, dizendo:

— Tome conta dele. Quando eu passar por aqui na volta, pagarei o que você gastar a mais com ele.

Então Jesus perguntou ao mestre da Lei:

— Na sua opinião, qual desses três foi o próximo do homem assaltado?

— Aquele que o socorreu! — respondeu o mestre da Lei.

E Jesus disse:

— Pois vá e faça a mesma coisa.

CONEXÃO
com Jesus

Mãos que ajudam

Com seu filho, procure pessoas que precisam de ajuda e se coloquem à disposição para ajudá-las. Por exemplo, a criança pode ajudar na arrumação da casa ou pode ajudar alguém no mercado a pegar algo da prateleira.

Óleo penetrante

Pegue um pouco de azeite de oliva ou óleo vegetal e esfregue na mão da criança. Lembre-a de como o samaritano usou azeite para limpar as feridas do homem. Fale de que maneira você pode ajudar as pessoas que estiveram doentes, machucadas ou tristes.

Vamos conversar

• Fale sobre uma situação em que você foi bondoso e prestativo com alguém.
• De que maneira você pode ser bondoso e prestativo hoje?

O canguru Pipoca diz:
– É hora de orar!

Querido Deus, queremos ser bondosos com as pessoas que precisam da nossa ajuda. Mostre-nos como ser bondosos com as pessoas. Em nome de Jesus, amém.

Mesmo que ninguém pareça cuidar de você, saiba que Jesus cuida!

Jesus visita

Jesus e os seus discípulos continuaram a sua viagem e chegaram a um povoado. Ali uma mulher chamada Marta o recebeu na casa dela. Maria, a sua irmã, sentou-se aos pés do Senhor e ficou ouvindo o que ele ensinava.

Maria e Marta

Lucas 10.38-42

Marta estava ocupada com todo o trabalho da casa. Então chegou perto de Jesus e perguntou:

— O senhor não se importa que a minha irmã me deixe sozinha com todo este trabalho? Mande que ela venha me ajudar.

Sente-se em frente aos meus pés.

Diga, como se estivesse se queixando:
— Não é justo!

Aí o Senhor respondeu:

— Marta, Marta, você está agitada e preocupada com muitas coisas, mas apenas uma é necessária! Maria escolheu a melhor de todas, e esta ninguém vai tomar dela.

— Não é justo!

Erga um dedo para lembrar de que aprender com Jesus é a coisa mais importante de todas!

CONEXÃO COM Jesus Jesus quer que

O canguru Pipoca diz:
- É hora de orar!

Querido Deus, ajude-nos a encontrar tempo para ler a sua Palavra e aprender sobre o seu Filho, Jesus. Em nome de Jesus, amém.

Vamos conversar

- Por que é difícil ficar sentado em silêncio?
- Como podemos ouvir Jesus nesta semana?

Psiiiiiuuuuu!

Reserve um tempo para brincar de "Jogo do silêncio" com a criança. Veja por quanto tempo você consegue ficar sentado e ouvir. Depois, fale sobre o que você ouviu e pense em maneiras de escutar silenciosamente o que Jesus poderia estar ensinando.

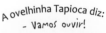

A ovelhinha Tapioca diz:
- Vamos ouvir!

Pare e siga

Brinque de "Pare e siga" da próxima vez que a criança estiver arrumando os brinquedos. Quando você disser "Marta", a criança deverá tirar os brinquedos rapidamente. Quando você disser "Maria", a criança deve parar e sentar em silêncio. Quando todos os brinquedos estiverem fora da caixa, fale sobre como é importante fazer coisas para Jesus, mas *também* ficar em silêncio para ouvi-lo.

passemos um tempo com ele, exatamente como Maria fez.

A ovelha e a moeda

Lucas 15.3-10

Jesus contou esta parábola:

Encontre a ovelha nesta ilustração.

— Se algum de vocês tem cem ovelhas e perde uma, por acaso não vai procurá-la? Assim, deixa no campo as outras noventa e nove e vai procurar a ovelha perdida até achá-la. Quando a encontra, fica muito contente e volta com ela nos ombros. Chegando à sua casa, chama os amigos e vizinhos e diz: "Alegrem-se comigo porque achei a minha ovelha perdida."

encontradas

— Pois eu lhes digo que assim também vai haver mais alegria no céu por um pecador que se arrepende dos seus pecados do que por noventa e nove pessoas boas que não precisam se arrepender.

Bata palmas para mostrar que você está feliz.

Jesus continuou:

Encontre a moeda na ilustração ao lado.

Dê pulos de alegria!

— Se uma mulher que tem dez moedas de prata perder uma, vai procurá-la, não é? Ela acende uma lamparina, varre a casa e procura com muito cuidado até achá-la. E, quando a encontra, convida as amigas e vizinhas e diz: "Alegrem-se comigo porque achei a minha moeda perdida."

Faça cara de arrependido.

— Pois eu digo a vocês que assim também os anjos de Deus se alegrarão por causa de um pecador que se arrepende dos seus pecados.

O canguru Pipoca diz:
- É hora de orar!

Vamos conversar

- Conte sobre alguma ocasião em que você perdeu algo, procurou e encontrou.
- Cite todos os lugares onde Deus pode encontrar você.

Querido Deus, obrigado por nos amar tanto! Obrigado por sempre cuidar de nós como o pastor que cuidou das suas ovelhas e como a mulher que procurou pela moeda perdida. Em nome de Jesus, amém.

CONEXÃO
COM**Jesus**

Esconda e ache

Esconda alguns brinquedos e peça à criança que os procure usando uma lanterna. Fale sobre como Deus sabia exatamente onde aqueles brinquedos estavam e como ele sempre sabe onde estamos.

A ovelhinha Tapioca diz:
– Vamos brincar!

Contando moedas

Separe moedas de valores e formatos diferentes e mostre-as para a criança. Vocês podem contá-las, comparar como são diferentes ou semelhantes e conversar sobre o uso das moedas. Fale sobre como a mulher se sentiu quando perdeu a moeda e como Deus se sente quando as pessoas tentam se afastar dele e esquecê-lo.

Jesus sempre vai procurar por nós, onde quer que estejamos!

O filho que

Jesus disse:

— Um homem tinha dois filhos.  Certo dia o mais moço disse ao pai: "Pai, quero que o senhor me dê agora a minha parte da herança."

— E o pai repartiu os bens entre os dois. Poucos dias depois, o filho mais moço ajuntou tudo o que era seu e partiu para um país que ficava

Erga dois dedos.

Se arrepende

Lucas 15.11-24

muito longe. Ali viveu uma vida cheia de pecado e desperdiçou tudo o que tinha.

— O rapaz já havia gastado tudo, quando houve uma grande fome naquele país, e ele começou a passar necessidade. Então procurou um dos moradores daquela terra e pediu ajuda. Este

Faça de conta que você está arrumando a mala.

o mandou para a sua fazenda a fim de tratar dos porcos. ✋ Ali, com fome, ele tinha vontade de comer o que os porcos comiam, mas ninguém lhe dava nada. Então saiu dali e voltou para a casa do pai.

— Quando o rapaz ainda estava longe de casa, o pai o avistou. E, com muita pena do filho, correu,

Como é o som que os porcos emitem?

Vá para o outro lado da sala. Depois, vou correr até você e lhe dar um abraço.

e o abraçou, e beijou.  E o filho disse: "Pai, pequei contra Deus e contra o senhor e não mereço mais ser chamado de seu filho!"

— Mas o pai ordenou aos empregados: "Depressa! Tragam a melhor roupa e vistam nele. Ponham um anel no dedo dele e sandálias nos seus pés. Também tragam e matem o bezerro gordo.

Vamos começar a festejar porque este meu filho estava morto e viveu de novo; estava perdido e foi achado."

— E começaram a festa.

Pule e dance, como se você estivesse se divertindo numa festa.

CONEXÃO COM Jesus

Podemos nos aproximar de Jesus ao lhe pedir para nos perdoar quando tivermos feito algo errado.

Aqui e acolá

Peça à criança para representar o filho perdido. Ela pode correr pela sala fazendo cara de fome e de tristeza. Quando você disser "Volte para casa!", a criança então volta e lhe dá um abraço. Fale sobre como você e Deus sempre vão amar seus filhos, aconteça o que acontecer.

A ovelhinha Tapioca diz:
– Vamos brincar de correr!

Tudo apagado!

Peça à criança que faça um desenho numa lousa (ou com batom no espelho ou com giz no chão). Depois, passe o apagador e mostre a ela que o desenho desapareceu. Fale sobre como Deus nos perdoa e faz desaparecer as coisas ruins que fizemos.

O canguru Pipoca diz:
– É hora de orar!

Vamos conversar

- Conte sobre alguma ocasião em que você foi desobediente. Deus ama você mesmo quando você faz coisas erradas!
- O que Deus faz para mostrar a você que o ama?

Querido Deus, obrigado por nos amar como o pai que amava seu filho arrependido. Ajude-nos a sempre voltar para o Senhor e lhe dizer o quanto estamos arrependidos das coisas erradas que fizemos. Em nome de Jesus, amém.

Jesus continuava viajando para Jerusalém e passou entre as regiões da Samaria e da Galileia. Quando estava entrando num povoado, dez leprosos foram se encontrar com ele. Eles pararam de longe e gritaram:

— Jesus, Mestre, tenha pena de nós!

Jesus os viu e disse:

— Vão e peçam aos sacerdotes que examinem vocês.

Chame por mim, fazendo de conta que você está machucado e quer a minha ajuda.

cura dez leprosos

Lucas 17.11-19

Diga algumas palavras de gratidão a Jesus.

Quando iam pelo caminho, eles foram curados.  E, quando um deles, que era samaritano, viu que estava curado, voltou louvando a Deus em voz alta. Ajoelhou-se aos pés de Jesus e lhe agradeceu. Jesus disse:

Jesus livrou os leprosos de suas feridas. Coce os braços, depois pare de coçar e diga:
— Ahh! Estou curado!

— Os homens que foram curados eram dez. Onde estão os outros nove?  Por que somente este estrangeiro voltou para louvar a Deus?

E Jesus disse a ele:

— Levante-se e vá. Você está curado porque teve fé.

— Ahh! Estou curado!

Conte os homens que estão longe de Jesus nesta ilustração.

CONEXÃO com Jesus

O canguru Pipoca diz:
- É hora de orar!

Querido Deus, obrigado por nossa família e por todas as coisas que o Senhor nos dá para nos sentirmos melhor. Em nome de Jesus, amém.

Vamos conversar

- Conte algumas coisas boas que Deus tem feito por você.
- O que você pode fazer para mostrar gratidão a Deus por ele ajudar você?

Purê a quatro mãos

Prepare um purê de batatas e deixe que a criança o ajude, amassando as batatas com as mãos (limpas!). Diga a ela que os leprosos têm uma doença que faz com que a pele fique esquisita. Ao descascar as batatas, fale sobre como Jesus curou os leprosos. Depois de terminar o prato, ajude a criança a lavar as mãos enquanto vocês agradecem Jesus pelas vezes em que ele os curou de enfermidades.

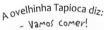

A ovelhinha Tapioca diz:
- Vamos comer!

Teatro de dedoches

Ajude a criança a fazer marionetes de dedo, desenhando rostos em dez etiquetas adesivas e colando-as nos dedos. Encenem juntos a passagem bíblica, fazendo de conta que os dedoches representam os dez leprosos que Jesus curou, incluindo aquele que voltou para agradecer.

Jesus cura o nosso coração e nos perdoa pelas coisas ruins que fazemos.

Jesus e Zaqueu se tornam amigos

Lucas 19.1-10

Zaqueu era mesmo muito baixinho. Veja se você consegue encontrá-lo nesta ilustração.

Jesus entrou em Jericó e estava atravessando a cidade. Morava ali um homem rico, chamado Zaqueu, que era chefe dos cobradores de impostos. Ele estava tentando ver quem era Jesus, mas não podia, por causa da multidão, pois Zaqueu era muito baixo. Então

Vamos usar as mãos e fazer de conta que estamos subindo numa árvore, como Zaqueu subiu.

correu adiante da multidão e subiu numa figueira brava para ver Jesus, que devia passar por ali. Quando Jesus chegou àquele lugar, olhou para cima e disse a Zaqueu:

— Zaqueu, desça depressa, pois hoje preciso ficar na sua casa.

Zaqueu desceu depressa e o recebeu na sua casa, com muita alegria. Todos os que viram isso começaram a resmungar:

— Este homem foi se hospedar na casa de um pecador!

Zaqueu se levantou e disse ao Senhor:

Agora, vamos fazer de conta que estamos descendo da árvore.

Zaqueu deu a metade da sua riqueza aos pobres. Vamos contar seis moedas (ou outro objeto qualquer). Depois, vamos dar três. Isso é metade!

— Escute, Senhor, eu vou dar a metade dos meus bens aos pobres. E, se roubei alguém, vou devolver quatro vezes mais.

Então Jesus disse:

— Hoje a salvação entrou nesta casa, pois este homem também é descendente de Abraão. Porque o Filho do Homem veio buscar e salvar quem está perdido.

Conte o que você teria feito se estivesse na casa de Zaqueu naquele dia.

CONEXÃO COM Jesus

Jesus foi até a casa de Zaqueu e se

Convidado especial

A ovelhinha Tapioca diz:
— Vamos jantar com Jesus!

Coloque um lugar a mais na mesa do jantar para Jesus, como se ele fosse seu convidado de honra. Fale sobre o que significava para Zaqueu receber a visita de Jesus. Diga à criança que, embora não consigamos vê-lo, Jesus está sempre conosco, e podemos prometer, como Zaqueu prometeu, que nós e Jesus seremos bons amigos.

Escalando a árvore

Encontre uma árvore que seja segura para a criança subir. (Se preferir, procure um trepa-trepa em algum parquinho.) Deixe ele fazer de conta que é Zaqueu enquanto você faz o papel de Jesus, caminhando até ele. Fale sobre o que Zaqueu poderia ter visto, ouvido, tocado e sentido.

Vamos conversar

• Fale sobre alguma situação em que Jesus ajudou você a fazer uma boa escolha.
• O que você pode fazer para mostrar a Jesus que você quer ser amigo dele?

O canguru Pipoca diz:
— É hora de orar!

Querido Deus, obrigado por ajudar pessoas como Zaqueu e nós. Ajude-nos a ser seus amigos e a mostrar seu amor às pessoas. Em nome de Jesus, amém.

tornou amigo dele. Jesus quer ser nosso amigo também.

Jesus alimenta

João 6.1-13

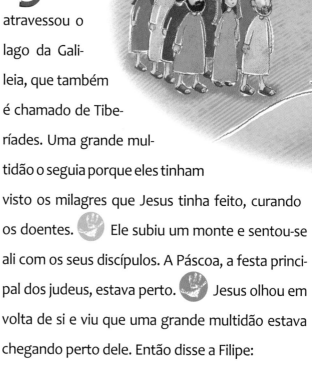

Jesus atravessou o lago da Galileia, que também é chamado de Tiberíades. Uma grande multidão o seguia porque eles tinham visto os milagres que Jesus tinha feito, curando os doentes. Ele subiu um monte e sentou-se ali com os seus discípulos. A Páscoa, a festa principal dos judeus, estava perto. Jesus olhou em volta de si e viu que uma grande multidão estava chegando perto dele. Então disse a Filipe:

Siga-me enquanto eu caminho pela sala. Vamos saltar e pular num pé só!

uma multidão

— Onde vamos comprar comida para toda esta gente?

Ele sabia muito bem o que ia fazer, mas disse isso para ver qual seria a resposta de Filipe.

Vamos fazer uma pilha com almofadas e cobertores para nos sentar enquanto terminamos a leitura deste trecho da Bíblia.

Filipe respondeu assim:

— Para cada pessoa poder receber um pouco de pão, nós precisaríamos gastar mais de duzentas moedas de prata.

Então um
dos discípulos,
André, irmão de
Simão Pedro, disse:

— Está aqui um menino que
tem cinco pães de cevada e dois peixinhos.
Mas o que é isso para tanta gente?

Jesus disse:

— Digam a todos que se sentem no chão.

Então todos se sentaram. (Havia muita grama naquele lugar.) Estavam ali quase cinco mil
homens. Em seguida Jesus pegou os pães, deu

Erga cinco
dedos de uma
mão e dois da
outra mão.

graças a Deus e os repartiu com todos; e fez o mesmo com os peixes. E todos comeram à vontade.  Quando já estavam satisfeitos, ele disse aos discípulos:

— Recolham os pedaços que sobraram a fim de que não se perca nada.

Eles ajuntaram os pedaços e encheram doze cestos com o que sobrou dos cinco pães.

Faça de conta que você está comendo pão.

Conte os cestos na ilustração.

CONEXÃO
COM Jesus   Jesus pode fazer coisas

Querido Deus, seus milagres maravilhosos nos mostram que o Senhor pode nos dar o alimento de que precisamos. Obrigado por cuidar de nós e nos amar. Em nome de Jesus, amém.

Vamos conversar

- O que você acha que foi especial no que Jesus fez?
- Quais são seus alimentos prediletos?

Comida para todos

No jantar, cada pessoa deve servir um alimento para os demais membros da família. Fale sobre o milagre de Jesus em alimentar mais de cinco mil pessoas com só um pouco de comida e lembre sua família de que Deus cuida de todos vocês.

O canguru Pipoca diz:
- É hora de orar!

Peixe e pão

Usando uma melodia conhecida, cante os seguintes versos com a criança:

**Deus cuida de você e de mim
e ele ama todos nós, sim.
"Estamos com fome", disse a
multidão.
E ele alimentou toda aquela
gente com peixe e pão.
Deus cuida de você e de mim
e ele ama todos nós, sim.**

A ovelhinha Tapioca diz:
- Vamos cantar!

surpreendentes ainda hoje!

Jesus é o bom pastor

João 10.1-15

Faça de conta que você está abrindo a porta e entrando no curral como um pastor.

Jesus disse:

— Eu afirmo a vocês que isto é verdade: quem não entra no curral das ovelhas pela porta, mas pula o muro é um ladrão e bandido. Mas quem entra pela porta é o pastor do rebanho. O porteiro abre a porta para

ele. As ovelhas reconhecem a sua voz quando ele as chama pelo nome, e ele as leva para fora do curral.  Quando todas estão do lado de fora, ele vai na frente delas, e elas o seguem porque conhecem a voz dele.

Faça béééé como uma ovelhinha.

Feche os olhos e acompanhe minha voz pela sala.

317

Eu sou o bom pastor. Assim como o Pai me conhece, e eu conheço o Pai, assim também conheço as minhas ovelhas, e elas me conhecem. E estou pronto para morrer por elas.

Faça mais sons de ovelhas.

CONEXÃO COM Jesus

O canguru Pipoca diz:
— É hora de orar!

Querido Deus, obrigado por nos conhecer e cuidar de nós. Ajude-nos sempre a ouvir suas palavras na Bíblia e a fazer o que o Senhor diz. Em nome de Jesus, amém.

Vamos conversar

- Um pastor cuida das suas ovelhas. Como Jesus cuida de você?
- Quais coisas especiais você acha que Jesus sabe em relação a nós?

Cuidar

Convide a criança para um passeio e observem pessoas ou animais cuidando uns dos outros. Pode ser que vocês vejam um dono passeando com seu cachorro ou uma mãe segurando seu bebê. Quando vocês virem alguém sendo cuidado, conversem sobre como Jesus cuida de nós.

A ovelhinha Tapioca diz:
— Vamos observar!

Esconder e ouvir

Peça à criança para segurar um bichinho de pelúcia (preferencialmente, uma ovelhinha). Enquanto a criança cobre os olhos e conta até dez, esconda-se. Quando você tiver se escondido, fale alto:

— Ovelha, venha me seguir!

Faça com que a criança encontre você apenas guiado pela sua voz. Invertam as posições e brinque novamente.

Você é uma das ovelhinhas de Jesus. Seu Pastor, Jesus, deu a vida dele e voltou a viver por causa de *você*!

Jesus cura Lázaro

João 11.17-44

Quando Jesus chegou, já fazia quatro dias que Lázaro havia sido sepultado. Então Marta disse a Jesus:

— Se o senhor estivesse aqui, o meu irmão não teria morrido! Mas eu sei que, mesmo assim, Deus lhe dará tudo o que o senhor pedir a ele.

faça de conta que você está chorando.

Deite-se e depois levante-se.

— O seu irmão vai ressuscitar! — disse Jesus.

Marta respondeu:

— Eu sei que ele vai ressuscitar no último dia!

Então Jesus afirmou:

— Eu sou a ressurreição e a vida. Quem crê em mim, ainda que morra, viverá. Onde foi que vocês o sepultaram?

— Venha ver, senhor! — responderam.

Jesus ficou outra vez muito comovido. Ele foi até o túmulo, que era uma gruta com uma pedra colocada na entrada, e ordenou:

— Tirem a pedra!

Pule no lugar, para mostrar que Jesus nos dá vida.

Faça de conta que você está sentindo um cheiro ruim.

Marta, a irmã do morto, disse:

— Senhor, ele está cheirando mal, pois já faz quatro dias que foi sepultado!

Jesus respondeu:

— Eu não lhe disse que, se você crer, você verá a revelação do poder glorioso de Deus?

Então tiraram a pedra. Jesus olhou para o céu e disse:

— Pai, eu te agradeço porque me ouviste.

Depois de dizer isso, gritou:

— Lázaro, venha para fora!

E o morto saiu. Os seus pés e as suas mãos estavam enfaixados, e o seu rosto estava enrolado com um pano. Então Jesus disse:

— Desenrolem as faixas e deixem que ele vá.

Saia pulando como se você fosse Lázaro saindo da sepultura com os pés enfaixados.

CONEXÃO COM Jesus Quando as pessoas

Levante-se, Lázaro!

A ovelhinha Tapioca diz:
— Vamos brincar!

Pegue dois cobertores para que você se enrole em um e seu filho em outro, cobrindo todo o corpo, menos o rosto. Deite-se, depois de se enrolar no cobertor; depois, levante-se e deixe o cobertor cair no chão quando um de vocês disser "Lázaro, venha para fora!". Revezem a vez e brinquem de novo. Depois, conversem sobre como Jesus os ajuda quando vocês estão tristes.

Esculturas de lembrete

Use massinha de modelar com a criança para fazer bonecos que consigam ficar deitados e de pé. Deixe-os deitados por um tempo. Depois, coloquem os bonecos de pé, como se estivessem caminhando. Essas esculturas serão um lembrete de que as pessoas que conhecem Jesus viverão para sempre com ele no céu.

Vamos conversar

- O que você pode fazer para mostrar às pessoas que se preocupa com elas?
- O que Jesus faz para mostrar que ele se preocupa com você?

O canguru Pipoca diz:
— É hora de orar!

Querido Deus, obrigado por cuidar de nós quando coisas ruins acontecem, e obrigado por nos prometer uma vida que vai durar para sempre. Em nome de Jesus, amém.

que amam Jesus morrem, ele dá a elas uma nova vida no céu!

Jesus montado

Quando Jesus e os discípulos estavam chegando a Jerusalém, foram até o monte das Oliveiras, que fica perto dos povoados de Betfagé e Betânia. Então Jesus enviou dois discípulos na frente, com a seguinte ordem:

num jumentinho

Marcos 11.1-11

— Vão até o povoado que fica ali adiante. Logo que vocês entrarem lá, encontrarão preso um jumentinho que ainda não foi montado. Desamarrem o animal e o tragam aqui. Se alguém perguntar por que vocês estão fazendo

Faça um som de jumento: ih-oh!

isso, digam que o Mestre precisa dele, mas o de-
volverá logo.

Eles foram e acharam o jumentinho na rua,
amarrado perto da porta de uma casa. Quando
estavam desamarrando o animal,  algumas
pessoas que estavam ali perguntaram:

— O que é que vocês estão fazendo? Por que
estão desamarrando o jumentinho?

Aponte os
jumentos na
ilustração.

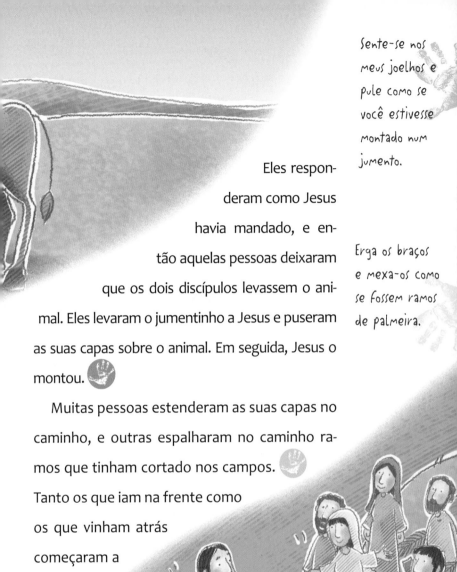

Sente-se nos meus joelhos e pule como se você estivesse montado num jumento.

Eles responderam como Jesus havia mandado, e então aquelas pessoas deixaram que os dois discípulos levassem o animal. Eles levaram o jumentinho a Jesus e puseram as suas capas sobre o animal. Em seguida, Jesus o montou.

Erga os braços e mexa-os como se fossem ramos de palmeira.

Muitas pessoas estenderam as suas capas no caminho, e outras espalharam no caminho ramos que tinham cortado nos campos. Tanto os que iam na frente como os que vinham atrás começaram a gritar:

— Hosana a Deus! Que Deus abençoe aquele que vem em nome do Senhor! Que Deus abençoe o Reino de Davi, o nosso pai, o Reino que está vindo! Hosana a Deus nas alturas do céu!

Jesus entrou em Jerusalém, foi até o Templo e olhou tudo em redor. Mas, como já era tarde, foi para o povoado de Betânia com os doze discípulos.

Louve a Deus dizendo-lhe o quanto ele é grande.

CONEXÃO COM Jesus

Assim como as pessoas da Bíblia louvaram Jesus, nós também podemos louvá-lo!

328

Rota do desfile

A ovelhinha Tapioca diz:
– Vamos participar de um desfile!

Da próxima vez que você e sua família forem de carro a algum lugar, façam de conta que estão num desfile. Ou faça um desfile andando ao redor da sua casa. Acene para as pessoas no caminho. Fale de coisas que são divertidas nos desfiles e porque foi especial Jesus entrar em Jerusalém montado no jumentinho.

Caminho de louvor

Com a ajuda da criança, faça um caminho com tecidos ou folhas. Fique ao lado desse caminho como se Jesus estivesse passando por ele montado no jumentinho. Saúdem Jesus e falem palavras belas em louvor a ele. Digam-lhe como ele é importante. Digam-lhe que ele faz muitas coisas boas. Digam-lhe que ele ajuda vocês todos os dias. Digam-lhe que vocês o amam.

O canguru Pipoca diz:
– É hora de orar!

Vamos conversar

- Quais são as coisas que você mais ama em relação a Jesus?
- De que maneira podemos louvar Jesus, além de dizer coisas belas para ele?

Querido Deus, sabemos que Jesus é o Rei! Ajude-nos a ter um coração grato e a louvar ao Senhor todos os dias. Em nome de Jesus, amém.

Jesus lava os pés dos discípulos

João 13.1-17

Faltava somente um dia para a Festa da Páscoa. Jesus sabia que tinha chegado a hora de deixar este mundo e ir para o Pai. Ele sempre havia amado os seus que estavam neste mundo e os amou até o fim.

Encontre na ilustração os objetos que Jesus usou para lavar os pés.

Jesus e os seus discípulos estavam jantando. O Diabo já havia posto na cabeça de Judas, filho de Simão Iscariotes, a ideia de trair Jesus. Jesus sabia que o Pai lhe tinha dado todo o poder. E sabia também que tinha vindo de Deus e ia para Deus. Então se levantou, tirou a sua capa, pegou uma toalha e amarrou na cintura. Em seguida pôs água numa 🖐 bacia e começou a lavar os pés dos discípulos e a enxugá-los com a toalha. 🖐

Depois de lavar os pés dos seus discípulos, Jesus vestiu de novo a capa, sentou-se outra vez à mesa e perguntou:

Faça de conta que você está lavando os meus pés e eu farei de conta que estou lavando os seus.

Jesus disse para seguir o exemplo dele. Siga meu exemplo caminhando comigo pela sala e fazendo o que eu fizer.

— Vocês entenderam o que eu fiz? Vocês me chamam de "Mestre" e de "Senhor" e têm razão, pois eu sou mesmo. Se eu, o Senhor e o Mestre, lavei os pés de vocês, então vocês devem lavar os pés uns dos outros. Pois eu dei o exemplo para que vocês façam o que eu fiz. Eu afirmo a vocês que isto é verdade: o empregado não é mais importante do que o patrão, e o mensageiro não é mais importante do que aquele que o enviou. Já que vocês conhecem esta verdade, serão felizes se a praticarem.

CONEXÃO
COM Jesus   Jesus nos mostrou como ser bondosos,

Lavando os pés

Na hora do banho, reserve alguns minutos para lavar os pés da criança. Enquanto estiver fazendo isso, repasse a história de Jesus lavando os pés dos discípulos. Para cada pé que você lavar, peça à criança que pense numa maneira de mostrar bondade para com alguém.

A ovelhinha Tapioca diz:
– Vamos tomar banho!

Siga o ajudante bondoso

Proponha uma brincadeira a seu filho: realize algumas tarefas simples e veja se ele consegue imitá-lo bem. Por exemplo, você pode preparar um sanduíche para alguém ou organizar os pares de meias na gaveta do guarda-roupa. Fale sobre como estamos seguindo o exemplo de Jesus quando somos bondosos com as pessoas.

Vamos conversar

• De que maneira você pode ser bondoso com alguém?
• Quais são outras maneiras de você ser bondoso como Jesus?

O canguru Pipoca diz:
– É hora de orar!

Querido Deus, obrigado por enviar Jesus para ser nosso exemplo. Por favor, nos ensine a ser bondosos e prestativos com as pessoas como Jesus era. Em nome de Jesus, amém.

e podemos seguir o exemplo dele.

O último jantar

Mateus 26.17-30

A Páscoa era uma festa especial. Conte o que você come na sua festa favorita.

No primeiro dia da Festa dos Pães sem Fermento, os discípulos chegaram perto de Jesus e perguntaram:

— Onde é que o senhor quer que a gente prepare o jantar da Páscoa para o senhor?

Ele respondeu:

— Vão até a cidade, procurem certo homem e digam: "O Mestre manda di-

334

zer: A minha
hora chegou.
Os meus discípu-
los e eu vamos co-
memorar a Páscoa
na sua casa."

Os discípulos fize-
ram como Jesus havia
mandado e prepararam o
jantar da Páscoa.

Enquanto estavam comen-
do, Jesus pegou o pão e deu graças a
Deus. Depois partiu o pão e o deu aos discípulos, dizendo:

— Peguem e co-
mam; isto é o meu
corpo.

Faça de conta
que você está
pegando um
pedaço do pão
da ilustração e
coma-o.

Faça de conta que você está bebendo alguma coisa num copo.

Em seguida, pegou o cálice de vinho e agradeceu a Deus. Depois passou o cálice aos discípulos, dizendo:

— Bebam todos vocês porque isto é o meu sangue, que é derramado em favor de muitos para o perdão dos pecados, o sangue que garante a aliança feita por Deus com o seu povo.  Eu afirmo a vocês que nunca mais beberei deste vinho até o dia em que beber com vocês um vinho novo no Reino do meu Pai.

Então eles cantaram canções de louvor e foram para o monte das Oliveiras.

Diga-me qual é a música sobre Jesus que você mais gosta e vamos cantá-la juntos.

CONEXÃO COM Jesus

O jantar de Páscoa era um lembrete de

Um jantar especial

Prepare uma refeição ou apenas um prato da refeição que você costuma servir numa data especial. Fale sobre como as refeições especiais, como o jantar de Páscoa da história bíblica de hoje, são um modo de lembrar sobre Jesus e tudo o que ele fez por nós. Jesus queria que seus amigos se lembrassem de que sempre estaria com eles e que estava dando a vida para que algum dia eles pudessem viver com Jesus para sempre.

A ovelhinha Tapioca diz:
- Vamos preparar um jantar!

Lembrando-se de Jesus

Com a ajuda da criança, escolha algo que os faça se lembrar sobre o amor de Jesus, como a forma de uma cruz ou a cor vermelha. Ao longo do dia, toda vez que vocês virem algo em forma de cruz ou vermelho, digam:

— Jesus nos ama!

Vamos conversar

- Quais são as coisas que lembram você de que Jesus o ama?
- O que você pode fazer para agradecer Jesus por amá-lo?

O canguru Pipoca diz:
- É hora de orar!

Querido Deus, obrigado pelo último jantar de Jesus com os discípulos. Isso serve para nos lembrar de que Jesus morreu na cruz para mostrar seu amor por nós. Depois, ao terceiro dia, ele voltou a viver! Em nome de Jesus, amém.

como Deus salvou seu povo da escravidão do Egito. E Jesus *nos* salvou do pecado!

Jesus ora

Marcos 14.32-42

Jesus estava triste e, por isso, orou. Você consegue fazer uma carinha triste?

Jesus e os discípulos foram a um lugar chamado Getsêmani. E Jesus lhes disse:

— Sentem-se aqui, enquanto eu vou orar.

Então Jesus foi, levando consigo Pedro, Tiago e João. Aí ele começou a sentir uma grande tristeza e aflição e disse a eles:

no jardim

— A tristeza que estou sentindo é tão grande, que é capaz de me matar. Fiquem aqui vigiando.

Ele foi um pouco mais adiante, ajoelhou-se, encostou o rosto no chão e pediu a Deus que, se possível, afastasse dele aquela hora de sofrimento. Ele orava assim:

— Pai, meu Pai, tu podes fazer todas as coisas! Afasta de mim este cálice de sofrimento. Porém que não seja feito o que eu quero, mas o que tu queres.

Depois voltou e encontrou os três discípulos dormindo.

faça de conta que você está dormindo.

Então disse a Pedro:

— Simão, você está dormindo? Será que não pode vigiar nem uma hora? Vigiem e orem para que não sejam tentados. É fácil querer resistir à tentação; o difícil mesmo é conseguir.

Jesus foi outra vez e orou, dizendo as mesmas palavras. Em seguida, voltou ao lugar onde os discípulos estavam e os encontrou de novo dormindo. Eles estavam com muito sono e não conseguiam ficar com os olhos abertos. E não sabiam o que responder a Jesus.

Junte as mãos como se você estivesse orando.

Quando voltou pela terceira vez, Jesus perguntou:

— Vocês ainda estão dormindo e descansando? Basta! Chegou a hora, e o Filho do Homem está sendo entregue nas mãos dos maus. Levantem-se, e vamos embora. Vejam! Aí vem chegando o homem que está me traindo!

CONEXÃO COM **Jesus** Assim como Jesus,

Querido Deus, obrigado por nos ensinar como é importante orar. Por favor, ajude-nos a orar como Jesus orou, pedindo que seja feita a sua vontade. Em nome de Jesus, amém.

Vamos conversar

- Por quais coisas você acha importante orar?
- O que pode tornar difícil a oração?

A vontade de Deus

O canguru Pipoca diz:
- É hora de orar!

Pela manhã, peça a seu filho que pense em algo que ele vá fazer durante o dia. Ore para que ele consiga realizar a vontade de Deus nessa atividade. Fale sobre como Jesus estava disposto a fazer algo muito difícil que Deus queria que ele fizesse.

Caminhada de oração

A ovelhinha Tapioca diz:
- Vamos caminhar!

Lembre a criança de que Jesus caminhou com os discípulos antes de ir orar. Faça um passeio com ela e ore durante a caminhada.

podemos dizer "sim" a qualquer coisa que Deus queira que façamos.

Jesus morre

Marche pela sala como um soldado.

Os soldados levaram Jesus para o pátio interno do Palácio do Governador e reuniram toda a tropa. Depois vestiram em Jesus uma capa vermelha e puseram na cabeça dele uma coroa feita de ramos cheios de espinhos. E começaram a saudá-lo, dizendo:

numa cruz

Marcos 15

— Viva o Rei dos Judeus!

Batiam na cabeça dele com um bastão, cuspiam nele e se ajoelhavam, fingindo que o estavam adorando. Depois de terem caçoado dele,

Amarre uma capa em sua boneca ou em seu super-herói favorito. Você ama esse brinquedo, mas os soldados não amavam Jesus e ficaram caçoando dele.

tiraram a capa vermelha e o vestiram com as suas próprias roupas. Em seguida o levaram para fora a fim de o crucificarem.

Ao meio-dia começou a escurecer, e toda a terra ficou três horas na escuridão. Às três horas da tarde Jesus gritou bem alto:

— "Eloí, Eloí, lemá sabactani?" Essas palavras querem dizer: "Meu Deus, meu Deus, por que me abandonaste?"

Tire a capa do seu boneco.

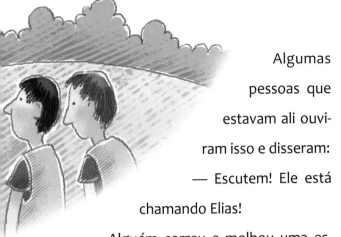

Algumas pessoas que estavam ali ouviram isso e disseram:

— Escutem! Ele está chamando Elias!

Alguém correu e molhou uma esponja em vinho comum, pôs na ponta de um bastão, deu para Jesus beber e disse:

— Esperem! Vamos ver se Elias vem tirá-lo da cruz!

Aí Jesus deu um grito forte e morreu.

Então a cortina do Templo se rasgou em dois pedaços, de cima até embaixo.

Abra os abraços. Foi assim que Jesus ficou na cruz.

Pegue um pano e rasque-o ao meio.

Abra os abraços outra vez. É desse tamanho que Jesus ama você!

O oficial do exército romano que estava em frente da cruz, vendo Jesus morrer daquele modo, disse:

— De fato, este homem era o Filho de Deus!

CONEXÃO COM Jesus

Ninguém levou Jesus à força para a cruz; ele morreu porque nos ama!

348

Perdoado

Pegue um papel e corte-o ao meio. Escreva "Deus" numa metade e o nome da criança na outra metade. Diga: "Quando fazemos coisas ruins, chamadas de pecados, Deus fica triste e parece se distanciar de nós."

A ovelhinha Tapioca diz:
– Vamos agradecer a Jesus!

Segure as duas metades do papel longe uma da outra. E, então, diga: "Não podemos fazer nada para nos aproximar de Deus. Mas, quando morreu na cruz, Jesus nos perdoou para que pudéssemos nos aproximar de Deus outra vez."

Peça à criança que faça uma cruz de massinha de modelar ou de papelão (encapada com fita adesiva colorida) e use-a para unir as duas metades de papel, colando cada metade numa ponta da haste horizontal da cruz.

Na cruz

Abra os braços e repita esta rima toda vez que você pensar em Jesus:

**Morreu na cruz
por nos amar, Jesus!**

O canguru Pipoca diz:
– É hora de orar!

Vamos conversar

- O que faz você se sentir triste pelo que aconteceu com Jesus?
- O que você quer dizer a Jesus por ele ter morrido na cruz?

Querido Deus, obrigado por enviar Jesus para nos mostrar o quanto o Senhor nos ama. Ficamos tristes por ele ter morrido na cruz por causa dos nossos pecados, mas lhe agrademos por esse presente. Em nome de Jesus, amém.

Jesus volta a viver

Lucas 24.1-12

Feche as mãos e depois abra, mostrando as palmas. Suas mãos estão vazias, exatamente como estava o túmulo de Jesus!

No domingo bem cedo, as mulheres foram ao túmulo, levando os perfumes que haviam preparado. Elas viram que a pedra tinha sido tirada da entrada do túmulo. Porém, quando entraram, não acharam o corpo do Senhor Jesus e não sabiam o que pensar. De repente, apareceram diante delas dois ho-

Mostre-me o que você faria se visse uma luz muito, muito brilhante.

mens vestidos com rou-
pas muito brilhantes.
E elas ficaram com medo, e
se ajoelharam, e encostaram
o rosto no chão. Então os
homens disseram a elas:

— Por que é que vocês estão
procurando entre os mortos quem está
vivo? Ele não está aqui, mas foi ressuscitado.
Lembrem que, quando estava na Galileia, ele
disse a vocês: "O Filho do Homem precisa ser
entregue aos pecadores, precisa ser crucificado
e precisa ressuscitar no terceiro dia."

Ajoelhe e encoste o rosto no chão.

Corra sem sair do lugar e diga:
— Jesus está vivo!

Então as mulheres lembraram das palavras dele e, quando voltaram do túmulo, contaram tudo isso aos onze apóstolos e a todos os outros. Essas mulheres eram Maria Madalena, Joana e Maria, mãe de Tiago. Estas e as outras mulheres que foram com elas contaram tudo isso aos apóstolos. Mas eles acharam que o que as mulheres estavam dizendo era tolice e não acreditaram. Porém Pedro se levantou e correu para o túmulo. Abaixou-se para olhar e viu somente os lençóis de linho e nada mais. Aí voltou para casa, admirado com o que havia acontecido.
— Jesus está vivo!

Aponte as coisas que você está vendo no túmulo com Pedro.

CONEXÃO COM Jesus   O túmulo de Jesus

Vivo

Procure por ilustrações ou fotos de coisas vivas. Converse com a criança sobre como podemos dizer que tais coisas estão vivas e depois fale sobre como você sabe que Jesus está vivo.

A ovelhinha Tapioca diz:
– Vamos observar!

Desaparecido

Aqueça uma frigideira em fogo baixo. Pegue seu filho no colo para que ele possa ver dentro da frigideira. Com muito cuidado, pingue algumas gotinhas de água na frigideira quente e observe como a água desaparece! Converse com a criança sobre como seria descobrir que o corpo de Jesus tinha desaparecido do túmulo.

Vamos conversar

• Faça de conta que você encontrou o túmulo de Jesus vazio. O que você faria?
• O que Jesus pode fazer por estar vivo hoje?

O canguru Pipoca diz:
– É hora de orar!

Querido Deus, obrigado por Jesus não ter ficado no túmulo. Obrigado por ele ter voltado a viver e por estar conosco hoje! Em nome de Jesus, amém.

estava vazio porque ele não se encontrava mais lá. Ele está vivo e está aqui conosco hoje!

Tomé duvida de

João 20

Mostre-me uma cicatriz ou um machucado que você tenha.

Naquele mesmo domingo, à tarde, os discípulos de Jesus estavam reunidos de portas trancadas, com medo dos líderes judeus. Então Jesus chegou, ficou no meio deles e disse:

— Que a paz esteja com vocês!

Em seguida lhes mostrou as suas mãos e o

seu lado. E eles ficaram muito alegres ao
verem o Senhor. Então Jesus disse de novo:

— Que a paz esteja com vocês! Assim como o
Pai me enviou, eu também envio vocês.

Depois soprou sobre eles e disse:

— Recebam o Espírito Santo.

Acontece que Tomé, um dos discípulos, que era chamado de "o Gêmeo", não estava com eles quando Jesus chegou. Então os outros discípulos disseram a Tomé:

Respire fundo e depois sopre o ar.

— Nós vimos o
Senhor!

Ele respondeu:

— Se eu não vir o sinal dos pregos nas mãos
dele, e não tocar ali com o meu dedo, e também
se não puser a minha mão no lado dele, não vou
crer!

Uma semana depois, os discípulos de Jesus
estavam outra vez reunidos ali com as portas
trancadas, e Tomé estava com eles. Jesus chegou, ficou no meio deles e disse:

— Que a paz esteja com vocês!

Feche bem
as mãos e
esconda-as
atrás do corpo,
depois diga
como você acha
que estavam as
mãos de Jesus.

Em seguida disse a Tomé:

— Veja as minhas mãos e ponha o seu dedo nelas. Estenda a mão e ponha no meu lado. Pare de duvidar e creia!

Então Tomé exclamou:

— Meu Senhor e meu Deus!

— Você creu porque me viu? — disse Jesus.

— Felizes são os que não viram, mas assim mesmo creram!

Cubra os olhos com as mãos e agradeça a Deus por Jesus estar vivo.

Vamos conversar

- Como você acha que Jesus entrou na sala trancada?
- Cite algumas situações em que Jesus está com você.

Querido Deus, embora não possamos vê-lo, sabemos que o Senhor está sempre conosco. Em nome de Jesus, amém.

O canguru Pipoca diz:
– É hora de orar!

Eu acredito!

Com a ajuda da criança, faça uma lista de coisas que vocês não podem ver, mas nas quais acreditam. Por exemplo, o vento, o amor, a alegria e alguém que vocês amam, mas que está longe. Façam desenhos que representem essas coisas, como um vento soprando o cabelo de alguém, duas pessoas se abraçando, um rosto feliz e o rosto de uma pessoa amada que esteja longe. Conversem sobre como vocês sabem que essas coisas ou pessoas são reais embora não possam vê-las. Depois, fale sobre como você sabe que Jesus é real.

Acreditar sem ver

Da próxima vez que vocês saírem de carro, peça a seu filho que feche os olhos enquanto você descreve por onde estão passando. Se houver outros passageiros no carro, revezem a vez para que a criança também possa descrever a paisagem. Falem sobre o que torna fácil ou difícil acreditar quando vocês não podem ver. Depois, diga como você acredita em Jesus mesmo sem poder vê-lo. (Se seu filho não conseguir ficar de olhos fechados no carro, faça esta atividade dentro de casa. Fale sobre como é difícil acreditar no que está lá fora sem olhar.)

A ovelhinha Tapioca diz:
– Vamos passear!

Mesmo sem ver Jesus, nós podemos acreditar nele!

Jesus e a pesca milagrosa

João 21.3-11

faça de conta que você está jogando uma rede ao mar e veja se consegue pescar alguma coisa.

Simão Pedro disse aos outros:

— Eu vou pescar.

— Nós também vamos pescar com você! — disseram eles.

Então foram todos e subiram no barco, mas naquela noite não pescaram nada.  De manhã, quando começava a

clarear, Jesus esta-
va na praia. Porém eles
não sabiam que era ele.
Então Jesus perguntou:

— Moços, vocês pesca-
ram alguma coisa?

— Nada! — responderam
eles.

— Joguem a rede do lado direito
do barco, que vocês acharão peixe! —
disse Jesus.

Eles jogaram a rede e logo depois já não conseguiam puxá-la para dentro do barco, por causa da grande quantidade de peixes que havia
nela. Aí o discípulo que Jesus
amava disse a Pedro:

— É o Senhor Jesus!

Agora, joque a
rede do outro
lado e faça de
conta que ela
está pesada
demais para
ser erguida.

Faça de conta que você está nadando.

Quando Simão Pedro ouviu dizer que era o Senhor, vestiu a capa, pois havia tirado a roupa, e se jogou na água.  Os outros discípulos foram no barco, puxando a rede com os peixes, pois estavam somente a uns cem metros da praia. Quando saíram do barco, viram ali uma pequena fogueira, com alguns peixes em cima das brasas. E também havia pão.

Então Jesus disse:

— Tragam alguns desses peixes que vocês acabaram de pescar.

Conte os peixes na ilustração.

Aí Simão Pedro subiu no barco e arrastou a rede para a terra. Ela estava cheia, com cento e cinquenta e três peixes grandes, e mesmo assim não se rebentou.

CONEXÃO
COM Jesus   Jesus ajudou os discípulos

Onde está a comida?

Durante uma refeição nesta semana, sirva uma travessa vazia. Deixe que cada pessoa da família diga como se sentiria se aquela fosse toda a comida que houvesse para aquele dia, por exemplo. Depois, sirva a refeição. Enquanto vocês comem, conversem sobre como os discípulos devem ter ficado tristes quando não conseguiram pescar e como Jesus os ajudou.

A ovelhinha Tapioca diz:
- Vamos comer!

Pesca de cereais

Espalhe alguns cereais secos numa ponta limpa da mesa. Dê um cesto e uma colher para a criança e peça-lhe que tente "pescar" os cereais estando na outra ponta da mesa. Fale sobre como a tarefa é difícil. Depois, peça-lhe que vá para o outro lado, onde estão os cereais, para então "pescar" o máximo que puder. Parabenize-a e fale sobre como Jesus nos ajuda.

Vamos conversar

- Cite algumas coisas que Jesus ajuda seus pais a lhe dar.
- O que você pode dizer a Jesus quando estiver precisando de algo?

O canguru Pipoca diz:
- É hora de orar!

Querido Deus, obrigado por nos dar diariamente o alimento de que necessitamos. Em nome de Jesus, amém.

quando eles estavam com fome. Jesus também nos ajuda!

Jesus vai

Atos 1.6-11

Certa vez, os apóstolos estavam reunidos com Jesus. Então lhe perguntaram:

— É agora que o senhor vai devolver o Reino para o povo de Israel?

Jesus respondeu:

— Não cabe a vocês saber a ocasião ou o dia que o Pai marcou com a sua própria autoridade. Porém, quando o Espírito Santo descer sobre

Mostre-me
seus músculos!

para o céu

vocês,  vocês receberão poder e serão minhas testemunhas em Jerusalém, em toda a Judeia e Samaria e até nos lugares mais distantes da terra.

Cite um lugar aonde você pode ir para contar a alguém sobre Jesus.

Olhe para cima como se você estivesse procurando Jesus.

Depois de ter dito isso, Jesus foi levado para o céu diante deles. Então uma nuvem o cobriu, e eles não puderam vê-lo mais. Eles ainda estavam olhando firme para o céu enquanto Jesus subia, quando dois homens vestidos de branco apareceram perto deles e disseram:

— Homens da Galileia, por que vocês estão aí olhando para o céu? Esse Jesus que estava com vocês e que foi levado para o céu voltará do mesmo modo que vocês o viram subir.

O canguru Pipoca diz:
- É hora de orar!

Querido Deus, obrigado pelo Espírito Santo me ajudar a falar de Jesus para os meus amigos. Em nome de Jesus, amém.

Ele vai voltar!

Convide a criança para observar o céu. Fale das coisas que vocês estão vendo. Depois, conversem sobre como o céu deve ficar quando Jesus voltar do paraíso.

CONEXÃO COM Jesus

Mapa da missão

Peça à criança para fechar os olhos e apontar um lugar qualquer num globo terrestre ou num mapa-múndi. Leia o nome do local apontado e caminhem pela sala como se estivessem indo até lá. Vocês podem fazer de conta que estão viajando de avião, carro ou barco. Quando "chegarem", falem de Jesus para as pessoas do local. Repitam a brincadeira com outros locais.

A ovelhinha Tapioca diz:
– Vamos viajar!

Vamos conversar

• Para quem você pode falar sobre Jesus?

• Que coisas você pode contar às pessoas sobre Jesus?

Quando nos tornamos amigos de Jesus, também recebemos
o poder de falar às pessoas sobre ele!

A vinda

Quando chegou o dia de Pentecostes, todos os seguidores de Jesus estavam reunidos no mesmo lugar. De repente, veio do céu um barulho que parecia o de um vento soprando muito forte e esse barulho encheu toda a casa onde estavam sentados. Então todos viram umas coisas parecidas com chamas, que se espalharam como línguas de fogo; e cada pessoa foi tocada por

Faça barulho de vento.

uma dessas línguas.  Todos ficaram cheios do Espírito Santo e começaram a falar em outras línguas, de acordo com o poder que o Espírito dava a cada pessoa.

Estavam morando ali em Jerusalém judeus religiosos vindos de todas as nações do mundo. Quando ouviram

Erga os braços acima da cabeça e chacoalhe os dedos como se fossem chamas de fogo.

Diga Jesus loves you ("Dji-zãs ló-ves i-ú"), que significa "Jesus ama você" em inglês.

Corra pela sala e coloque a mão atrás da orelha, fazendo de conta que você está ouvindo uma língua diferente.

aquele barulho, uma multidão deles se ajuntou, e todos ficaram muito admirados porque cada um podia entender na sua própria língua o que os seguidores de Jesus estavam dizendo.

CONEXÃO COM Jesus

O canguru Pipoca diz:
- É hora de orar!

Querido Deus, obrigado por seu Espírito Santo poderoso. Em nome de Jesus, amém.

Vamos conversar

- Como seria se, de repente, você conhecesse outra língua?
- Que coisas maravilhosas você gostaria de fazer com a ajuda de Deus?

Vento e fogo

Ajude a criança a recortar algumas tiras de papel fino (ou plástico) vermelho e amarelo. Em seguida, cole a ponta das tiras num pedaço de cartolina. Abane as tiras coloridas ou use um ventilador para representar o vento e as chamas mencionados na história. Deixe o artesanato em algum lugar importante da casa para se lembrarem de que o poder de Deus também está com vocês.

Fale alto!

Nas atividades da história bíblica, a criança aprendeu a falar "Jesus ama você" em inglês. Agora, ajude-a a memorizar as traduções a seguir. Quando você ouvir alguém falar nessas línguas, estimule-a a dizer "Jesus ama você" na língua daquela pessoa.

- Chinês: *Ye Su ai ni* ("Ié-su ái ni")
- Francês: *Jésus t'aime* ("Zé-zu tém")
- Alemão: *Jesus liebt dich* ("Iai-sus libit di-chi")

A ovelhinha Tapioca diz:
- Vamos falar!

Se possível, procure a ajuda de pessoas de sua comunidade que falem essas línguas para aprender a pronúncia.

Jesus, que viveu na terra por mais de trinta anos, agora vive no céu, mas seu Espírito Santo poderoso está aqui conosco.

Pedro e João curam um homem coxo

Atos 3.1-10

Certo dia de tarde, Pedro e João estavam indo ao Templo para a oração das três horas. Estava ali um homem que tinha nascido coxo. Todos os dias ele era levado para um dos portões do Templo, chamado "Portão Formoso",

Coxo é alguém que não consegue andar. Experimente se deslocar pela sala sem usar as pernas.

a fim de pedir esmolas às pessoas que entravam no pátio do Templo. Quando o coxo viu Pedro e João entrando, pediu uma esmola.  Eles olharam firmemente para ele, e Pedro disse:

— Olhe para nós!

O homem olhou para eles, esperando receber alguma coisa. Então Pedro disse:

— Não tenho nenhum dinheiro, mas o que tenho eu lhe dou: pelo poder do nome de Jesus Cristo, de Nazaré, levante-se e ande.

Faça um gesto com as mãos como se você estivesse pedindo esmola.

Toque seus pés
e tornozelos.

Em seguida Pedro pegou a mão direita do homem e o ajudou a se levantar. No mesmo instante os pés e os tornozelos dele ficaram firmes. Então ele deu um pulo, ficou de pé e começou a andar. Depois entrou no pátio do Templo com eles, andando, pulando e agradecendo a Deus. Toda a multidão viu o homem pulando e louvando a Deus. Quando perceberam que aquele era o mendigo que ficava sentado perto do Portão Formoso do Templo, ficaram admirados e espantados com o que havia acontecido.

Pule e agradeça
a Deus.

CONEXÃO
COM Jesus

Jesus pode nos usar para ajudar outras pessoas,

Pega-pega de louvor

Brinque com a família toda! Escolham alguém para ser quem vai pegar. Quando ele pegar alguém, essa pessoa deverá louvar a Deus usando a parte do corpo que foi pega. Por exemplo, vocês podem dançar, sorrir, pular ou bater palmas. Revezem-se no papel daquele que pega.

A ovelhinha Tapioca diz:
- Vamos brincar!

Mais importante que ouro

Da próxima vez que você comprar algo, mostre a seu filho o troco ou a notinha da compra. Conversem a respeito do que o coxo poderia ter feito se Pedro e João tivessem lhe dado dinheiro em vez de curá-lo. Fale por que Jesus é mais valioso que dinheiro.

Vamos conversar

- O que você não conseguiria fazer se não pudesse andar?
- O que você pode fazer para mostrar o quanto fica feliz por Jesus ajudá-lo?

O canguru Pipoca diz:
- É hora de orar!

Querido Deus, obrigado por curar o homem coxo. Por favor, ajude nossos parentes e amigos que estão doentes. Em nome de Jesus, amém.

exatamente como usou Pedro e João para curar o homem coxo.

Os

Faça de conta que você está repartindo algo comigo.

odos os que creram pensavam e sentiam do mesmo modo. Ninguém dizia que as coisas que possuía eram somente suas, mas todos repartiam uns com os outros tudo o que tinham. Com grande poder os apóstolos davam testemunho da ressurreição do Senhor Jesus, e Deus derramava muitas bênçãos sobre todos. Não havia entre eles nenhum necessitado, pois todos os que tinham terras ou casas as vendiam, traziam

primeiros cristãos

o dinheiro e o entregavam aos apóstolos. E cada pessoa recebia uma parte, de acordo com a sua necessidade.

Encontre algumas coisas nestas ilustrações que as pessoas estejam repartindo entre si.

Cite algo que seus pais possuem que valeria muito dinheiro se fosse vendido.

Foi assim que José vendeu um terreno dele e entregou o dinheiro aos apóstolos. José era levita e havia nascido na ilha de Chipre. Os apóstolos o chamavam de Barnabé, que quer dizer "Aquele que dá ânimo".

CONEXÃO COM Jesus

O canguru Pipoca diz:
- É hora de orar!

Querido Deus, o Senhor nos tem dado muitas coisas. Ajude-nos a aprender a dividir uns com os outros, como faziam os primeiros cristãos. Em nome de Jesus, amém.

Vamos conversar

- Alguém já dividiu alguma coisa com você? Você ficou feliz?
- Que coisas você pode dividir com outras pessoas?

Dividir a comida

Convidem uma família para jantar com vocês. Peça a seu filho para ajudá-lo a preparar o jantar enquanto conversam sobre como poderiam dividir aquela comida, assim como faziam os primeiros cristãos. Durante o jantar, incentive a criança a falar sobre os cristãos da Bíblia para os convidados.

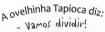
A ovelhinha Tapioca diz:
- Vamos dividir!

Tempo de compartilhar

Toda vez que você vir seu filho dividindo algo, incentive tal comportamento. Diga-lhe que você se sente orgulhoso por ele estar agindo como os primeiros cristãos.

Deus compartilhou conosco o melhor presente que tinha: Jesus!

Filipe fala de Jesus ao etíope

Atos 8.29-39

Vamos correr no lugar para mostrar como Filipe correu até a carruagem.

O Espírito Santo disse a Filipe:

— Chegue perto dessa carruagem e acompanhe-a.

Filipe correu para perto da carruagem e ouviu o funcionário lendo o livro do profeta Isaías.

Aí perguntou:

Por que Filipe e o homem na carruagem parecem diferentes um do outro? E no que parecem iguais?

— O senhor entende o que está lendo?

— Como posso entender se ninguém me explica? — respondeu o funcionário.

Então convidou Filipe para subir e sentar-se com ele na carruagem.

A parte das Escrituras Sagradas que o funcionário estava lendo era esta:

"Ele era como um cordeiro que é levado para ser morto; era como uma ovelha que fica muda quando cortam a sua lã. Ele não disse nada.

Foi humilhado, e foram injustos com ele.

Ninguém poderá falar a respeito de descendentes dele, já que a sua vida na terra chegou ao fim."

Vamos fazer de conta que estamos fechando nossa boca com zíper e ficaremos em silêncio.

Diga bem alto:
— Jesus, o
Filho de Deus,
ama você!

O funcionário perguntou a Filipe:

— Por favor, me explique uma coisa! De quem é que o profeta está falando isso? É dele mesmo ou de outro?

Então, começando com aquela parte das Escrituras, Filipe anunciou ao funcionário a boa notícia a respeito de Jesus.

Enquanto estavam viajando, chegaram a um lugar onde havia água. Então o funcionário disse:

— Veja! Aqui tem água. Será que eu não posso ser batizado?

Ele mandou parar a carruagem, os dois entraram na água, e Filipe o batizou ali.

Quando eles estavam saindo da água, o Espírito do Senhor levou Filipe embora. O funcionário não viu mais Filipe, porém continuou a sua viagem, cheio de alegria.

— Jesus, o Filho de Deus, ama você!

Encontre um lugar para se esconder nesta sala e mostre como Filipe desapareceu rapidamente.

CONEXÃO COM Jesus

Filipe falou sobre Jesus para o etíope.

Na carruagem

A ovelhinha Tapioca diz:
- Vamos passear!

Da próxima vez que você sair de carro ou andar de trem ou metrô, faça de conta que está na carruagem da história bíblica. Você e a criança podem se revezar fazendo perguntas sobre Jesus e respondendo-as da melhor maneira possível.

Falando sobre Jesus

Convide a criança para ensaiar: como você falaria sobre Jesus para as pessoas? Faça de conta que você não sabe nada sobre Jesus e elabore algumas perguntas para a criança. Quem é Jesus? O que ele fez? Como posso saber que ele me ama? Incentive a criança a falar sobre Jesus para as pessoas que ela conhece.

Vamos conversar

- Cite algumas pessoas que falam sobre Jesus para você. O que elas lhe dizem?
- Qual é a sua parte favorita da Bíblia e como você pode contá-la para as pessoas?

O canguru Pipoca diz:
- É hora de orar!

Querido Deus, obrigado pela boa notícia do seu amor por todos. Por favor, ajude-nos a falar sobre o Senhor a muitas pessoas. Em nome de Jesus, amém.

Jesus também quer que falemos sobre ele para as outras pessoas.

Uma luz

Saulo não parava de ameaçar de morte os seguidores do Senhor Jesus. Ele foi falar com o Grande Sacerdote e pediu cartas de apresentação para as sinagogas da cidade de Damasco. Com esses documentos Saulo poderia prender e levar para Jerusalém os seguidores do Caminho do Senhor que moravam ali, tanto os homens como as mulheres.

cega Paulo

Atos 9

Mas na estrada de Damasco, quando Saulo já estava perto daquela cidade, de repente, uma luz que vinha do céu brilhou em volta dele. Ele caiu no chão e ouviu uma voz que dizia:

— Saulo, Saulo, por que você me persegue?

— Quem é o senhor? — perguntou ele.

A voz respondeu:

— Eu sou Jesus, aquele que você persegue. Mas levante-se, entre na cidade, e ali dirão a você o que deve fazer.

Os homens que estavam viajando com Saulo ficaram parados sem poder dizer nada. Eles

Vamos também cair no chão, como Saulo caiu.

ouviram a voz, mas não viram ninguém. Saulo se levantou do chão e abriu os olhos, mas não podia ver nada. 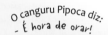 Então eles o pegaram pela mão e o levaram para Damasco.

Então Ananias foi, entrou na casa de Judas, pôs as mãos sobre Saulo e disse:

— Saulo, meu irmão, o Senhor que me mandou aqui é o mesmo Jesus que você viu na estrada de Damasco. Ele me mandou para que você veja de novo e fique cheio do Espírito Santo.

fique de pé e cubra os olhos para fazer de conta que você ficou cego como Saulo.

O canguru Pipoca diz:
- É hora de orar!

Querido Deus, o Senhor pode mudar o nosso coração assim como mudou o coração de Saulo. Quando quisermos fazer algo errado, ajude-nos a lhe obedecer e fazer o que é certo. Em nome de Jesus, amém.

Vamos conversar

- Fale sobre alguma ocasião em que Deus ajudou você a fazer o que era certo.
- Dê um exemplo de algo bom que Deus pode ajudá-lo a fazer todos os dias.

CONEXÃO
COM JESUS

Desafio às cegas

Desafie seu filho a fazer algumas atividades corriqueiras usando uma venda nos olhos. Por exemplo: escovar os dentes, vestir a camiseta etc. Fale sobre como deve ter sido para Saulo ficar cego.

A ovelhinha Tapioca diz:
- Vamos tampar os olhos!

Pega-pega com lanterna

Convide toda a família, apague as luzes e revezem a vez no uso da lanterna. Quem estiver no papel de pegar os outros deverá usar o raio de luz para pegar alguém. Conversem sobre o que aconteceu com Saulo quando uma luz que vinha do céu brilhou em volta dele e sobre como Jesus mudou o coração de Saulo.

Jesus mudou o coração de Saulo quando ele quis fazer coisas ruins. Jesus pode mudar o nosso coração também!

A fuga

Segure meus pulsos, bem firme, como se você estivesse me prendendo com correntes.

Na noite antes do dia em que Herodes ia apresentá-lo ao povo, Pedro estava dormindo, preso com duas correntes, entre dois soldados; e havia guardas de vigia no portão da cadeia. De repente, apareceu um anjo do Senhor, e uma luz brilhou dentro da cela. O anjo tocou no ombro de Pedro, acordou-o e disse:

de Pedro da cadeia

Atos 12.6-11

Agora solte as minhas mãos e faça um "clique", como se as correntes caíssem no chão.

— Levante-se depressa!

Então as correntes caíram das mãos dele.

— Aperte o cinto e amarre as sandálias! — disse o anjo.

E Pedro fez o que o anjo mandou.

— Ponha a capa e venha comigo! — ordenou o anjo.

Pedro saiu da cadeia e foi seguindo o anjo.

Porém não sabia se, de fato, o anjo o estava libertando. Ele pensava que aquilo era uma

Siga-me pela sala.

389

visão. Eles passaram pelo primeiro e pelo segundo posto da guarda e chegaram ao portão de ferro que dava para a rua. O portão se abriu sozinho, e eles saíram. Andaram por uma rua, e, de repente, o anjo foi embora. Então Pedro compreendeu o que estava acontecendo e disse:

— Agora sei que, de fato, o Senhor mandou o seu anjo e me livrou do poder de Herodes e de tudo o que os judeus tinham a intenção de me fazer.

Pedro ficou feliz por estar livre! Dê um sorriso bem grande.

O canguru Pipoca diz:
- É hora de orar!

Vamos conversar

- Quando Pedro precisou de ajuda, o anjo o conduziu. Em quais situações você gostaria que um anjo o conduzisse?
- Em que lugares você sente que precisa da ajuda de Deus para se sentir protegido?

Querido Deus, mantenha--nos em segurança assim como o Senhor manteve Pedro. Em nome de Jesus, amém.

CONEXÃO
COM Jesus

Cadeia de almofadas

Com a ajuda da criança, construa uma cadeia com almofadas. Vá empilhando almofadas e travesseiros que existirem na casa. Depois, brinque de seguir o líder para fora da cadeia. Fale sobre como Deus protege a sua família.

A ovelhinha Tapioca diz:
– Vamos construir!

Sapatos seguros

Quando você for calçar os sapatos em seu filho, fale de Pedro, que colocou as sandálias antes de seguir o anjo para fora da cadeia. Conversem a respeito de como Deus mantém vocês seguros e protegidos todos os dias.

Assim como Pedro seguiu o anjo, nós podemos seguir Jesus e os anjos que ele nos envia!

Paulo e Silas

Paulo e Silas estavam com os pés presos! Junte seus pés e imagine como seria se você estivesse preso desse modo na cadeia.

Uma multidão se ajuntou para atacar Paulo e Silas. As autoridades mandaram que tirassem as roupas deles e os surrassem com varas. Depois de baterem muito neles, as autoridades jogaram os dois na cadeia e deram ordem ao carcereiro para guardá-los com toda a segurança. Depois de receber essa ordem, o carcereiro os

na cadeia

Atos 16.22-34

jogou numa cela que ficava no fundo da cadeia e prendeu os pés deles entre dois blocos de madeira.

Mais ou menos à meia-noite, Paulo e Silas estavam orando e cantando hinos a Deus, e os outros presos escutavam. De repente, o chão

Vamos cantar para Deus. Que música você sugere?

Os terremotos fazem tudo chacoalhar! Chacoalhe todo o seu corpo, como se você estivesse num terremoto. Veja se seus pés estão livres.

tremeu tanto, que abalou os alicerces da cadeia. Naquele instante todas as portas se abriram, e as correntes que prendiam os presos se arrebentaram. Aí o carcereiro acordou. Quando viu que os portões da cadeia estavam abertos, pensou que os prisioneiros tinham fugido. Então puxou a espada e ia se matar, mas Paulo gritou bem alto:

— Não faça isso! Todos nós estamos aqui!

Aí o carcereiro pediu que lhe trouxessem uma

luz, entrou depressa na cela e se ajoelhou, tremendo, aos pés de Paulo e Silas. Depois levou os dois para fora e perguntou:

— Senhores, o que devo fazer para ser salvo?

Eles responderam:

— Creia no Senhor Jesus e você será salvo — você e as pessoas da sua casa.

Então eles anunciaram a palavra do Senhor ao carcereiro e a todas as pessoas da casa dele. Naquela mesma hora da noite, o carcereiro começou a cuidar deles, lavando os ferimentos da surra que haviam levado.

Logo depois ele

Faça de conta que você está lavando seus pés machucados.

e todas as pessoas da sua casa foram batizados. Em seguida ele levou Paulo e Silas para a sua casa e lhes deu comida. O carcereiro e as pessoas da sua casa ficaram cheios de alegria porque agora criam em Deus.

CONEXÃO COM Jesus

Paulo e Silas disseram aos guardas da cadeia que eles podiam acreditar em Jesus. Você também pode acreditar em Jesus e na promessa que ele fez de estar sempre conosco.

Dance conforme a música

Paulo e Silas cantaram e louvaram a Deus, mesmo nos momentos difíceis. Da próxima vez que sua família estiver tendo um dia ruim, toque uma música de louvor bem animada e dancem ao ritmo da canção em louvor a Deus. Lembrem-se de que vocês têm motivos para se alegrar e ficar contentes, como Paulo e Silas. Vocês podem se alegrar porque Deus está sempre com vocês!

A ovelhinha Tapioca diz:
— Vamos dançar!

Fuga da cadeia

Use blocos de brinquedo (ou almofadas e travesseiros, ou caixas de papelão vazias) para construir uma cadeia em volta da criança. Depois, peça a ela que cante para Jesus. Então grite "Terremoto!", e diga para a criança derrubar a cadeia e sair.

O canguru Pipoca diz:
— É hora de orar!

Vamos conversar

- O que você pode fazer para mostrar amor a Deus quando coisas ruins acontecem?
- De que maneira Deus lhe mostra que está com você?

Querido Deus, obrigado por ajudar Paulo e Silas a confiar no Senhor mesmo quando estavam presos. Ajude-nos a confiar no Senhor nos momentos difíceis também. Em nome de Jesus, amém.

O naufrágio

Atos 27

Assopre suave-
mente, como um
vento fraco.

Começou a soprar do sul um vento fraco, e por isso eles pensaram que podiam fazer o que tinham planejado. Levantamos âncora e fomos navegando o mais perto possível do litoral de Creta. Mas, de repente, um vento muito forte, chamado "Nordeste", veio da ilha e arrastou o navio de tal maneira, que não pudemos fazer com que ele seguisse na direção cer-

Agora, assopre
mais forte,
como se o vento
tivesse aumen-
tado, enquanto
você se balança
para frente e
para trás!

de Paulo

ta. Por isso desistimos e deixamos que o vento nos levasse.

Aí os marinheiros tentaram escapar do navio. Baixaram o bote no mar, fingindo que iam jogar âncoras da parte da frente do navio. Então Paulo disse ao oficial romano e aos soldados:

Debruce-se e faça de conta que você está baixando um bote salva-vidas.

— Se os marinheiros não ficarem no navio, vocês não poderão se salvar.

Aí os soldados cortaram as cordas que prendiam o bote e o largaram no mar.

De madrugada Paulo pediu a todos que comessem alguma coisa e disse:

— Já faz catorze dias que vocês estão esperando e durante este tempo não comeram nada. Agora comam alguma coisa, por favor. Vocês precisam se alimentar para poder continuar vivendo. Pois

faça de conta que você está comendo um pedaço de pão.

ninguém vai perder nem mesmo um fio de cabelo.

Em seguida Paulo pegou pão e deu graças a Deus diante de todos. Depois partiu o pão e começou a comer. Então eles ficaram com mais coragem e também comeram. No navio éramos ao todo duzentas e setenta e seis pessoas. Depois que todos comeram, jogaram o trigo no mar para que o navio ficasse mais leve.

Faça de conta que você está jogando coisas para fora do navio.

Quando amanheceu, os marinheiros não reconheceram a terra, mas viram uma baía onde havia uma praia. Então resolveram fazer o possível para encalhar o navio lá. Eles cortaram as cordas das âncoras, e as largaram no mar, e desamarraram os lemes. Em seguida suspenderam a vela do lado dianteiro, para que pudessem seguir na direção da praia. Mas o navio bateu num banco de areia e ficou encalhado. A parte da frente ficou presa, e a de trás começou a ser arrebentada pela força das ondas.

Faça de conta que o barco está à deriva e então encalha na praia.

Os soldados combinaram matar todos os prisioneiros, para que nenhum pudesse chegar até a praia e fugir. Mas o oficial romano queria salvar Paulo e não deixou que fizessem isso. Pelo contrário, mandou que todos os que soubessem nadar fossem os primeiros a se jogar na água e a nadar até a praia. E mandou também que os outros se salvassem, segurando-se em tábuas ou em pedaços do navio. E foi assim que todos nós chegamos a terra sãos e salvos.

CONEXÃO COM Jesus — Jesus estava com Paulo

Vamos conversar

- O que parece assustador para você?
- Cite uma maneira de Deus poder ajudá-lo quando você sentir medo.

Querido Deus, obrigado por estar sempre conosco, mesmo quando estamos assustados. Em nome de Jesus, amém.

O canguru Pipoca diz:
— É hora de orar!

Pare e ore

Se seu filho mostrar medo nesta semana, pare, deixe de lado o que você estiver fazendo e ore com ele. Peça a Deus para ajudar seu filho da mesma maneira que ele ajudou Paulo durante a tempestade assustadora.

Como no navio

Pegue uma caixa pequena ou uma travessa descartável e convide a criança a decorá-la como se fosse um navio. Coloque o navio em cima de um papel ou tecido azul. Peça à criança para colocar objetos pequenos e inquebráveis dentro do navio e encenar a história bíblica, balançando o navio e jogando os objetos ao mar. Fale sobre como Deus consegue desfazer nossos medos, assim como os marinheiros se desfizeram dos pesos extras no navio.

A ovelhinha Tapioca diz:
— Vamos navegar!

quando o navio em que ele estava naufragou; Jesus está conosco quando coisas ruins nos acontecem também.

Uma cobra

Atos 28.1-6

Faça de conta que você está diante de uma fogueira. Esfregue as mãos para aquecê-las.

Quando já estávamos em terra, sãos e salvos, soubemos que a ilha se chamava Malta. Os moradores dali nos trataram com muita bondade. Como estava chovendo e fazia frio, acenderam uma grande fogueira. Paulo ajuntou um feixe de gravetos e os estava jogando no fogo, quando uma cobra, fugindo do calor, agarrou-se

pica Paulo

na mão dele. Os moradores da ilha viram a cobra pendurada na mão de Paulo e comentaram:

— Este homem deve ser um assassino. Pois ele escapou do mar, mas mesmo assim a justiça divina não vai deixá-lo viver.

Use uma das mãos como se fosse uma boca para morder a outra mão.

Mas Paulo sacudiu a cobra para dentro do fogo e não sentiu nada. Eles pensavam que ele ia ficar inchado ou que ia cair morto de repente. Porém, depois de esperar bastante tempo, vendo que não acontecia nada, mudaram de ideia e começaram a dizer que ele era um deus.

Chacoalhe as mãos com força.

O canguru Pipoca diz:
— É hora de orar!

Querido Deus, o Senhor cuidou de Paulo de um modo tão maravilhoso, e sabemos que cuidará de nós também. Em nome de Jesus, amém.

Vamos conversar

- Se você estivesse com Paulo no momento em que a cobra o mordeu, o que faria?
- Fale sobre uma maneira maravilhosa de Deus cuidar de você.

A cobra não machucou Paulo,

Pega-pega com a cobra

Coloque uma meia na mão (verde ou marrom seria melhor) e faça de conta que é uma cobra. Brinque com a criança tentando morder o braço dela com a "cobra". Invertam os papéis e brinquem várias vezes. Depois, conversem sobre como Deus protegeu Paulo de uma maneira maravilhosa.

A ovelhinha Tapioca diz:
– Vamos brincar!

Cobras à vista

Convide a criança para esculpir algumas cobras com massinha de modelar. Depois, sacudam as cobras e conversem sobre o modo maravilhoso com que Deus tem cuidado da sua família, exatamente como cuidou de Paulo.

e isso foi maravilhoso. Mas Jesus morreu na cruz e ressuscitou da morte, e a sua ressurreição foi muito mais maravilhosa ainda!

A vida no céu

Apocalipse 21

Vi um novo céu e uma nova terra. O primeiro céu e a primeira terra desapareceram, e o mar sumiu. E vi a Cidade Santa, a nova Jerusalém, que descia do céu. Ela vinha de Deus, enfeitada e preparada, vestida como uma noiva que vai se encontrar com o noivo.  Ouvi uma voz forte que vinha do trono, a qual disse:

Conte-me como a cidade desta ilustração é diferente de qualquer outra cidade que você já viu.

408

— Agora a morada de Deus está entre os seres humanos! Deus vai morar com eles, e eles serão os povos dele. O próprio Deus estará com eles e será o Deus deles. Ele enxugará dos olhos deles todas as lágrimas. Não haverá mais morte, nem tristeza, nem choro, nem dor. As coisas velhas já passaram.

Então o Espírito de Deus me dominou, e o anjo me levou para uma montanha grande e muito alta. Ele me mostrou Jerusalém, a Cidade Santa, que descia do céu e vinha de Deus, brilhando com a glória de Deus. A cidade brilhava

Você nunca ficará triste no céu. Sorria!

Aponte algo que
brilhe nesta sala.

como uma pedra precio-
sa, como uma pedra de
jaspe, clara como cris-
tal.  Ela era cerca-
da por uma muralha
muito alta e grande,
com doze portões,
guardados por doze
anjos. Nos portões esta-
vam escritos os nomes das
doze tribos do povo de Israel. Havia três portões de cada lado: três ao norte, três ao sul, três
a leste e três a oeste. A muralha da cidade estava construída sobre doze rochas, nas quais estavam escritos os nomes dos doze apóstolos do
Cordeiro.

Conte as pedras
na ilustração.

CONEXÃO
COM Jesus   Podemos viver com Deus

410

Canção do céu

Usando blocos de brinquedo ou caixas variadas, construam a nova Jerusalém, a Cidade Santa. Depois, dancem em volta da cidade usando uma melodia conhecida e os seguintes versos:

Podemos viver com Deus no céu,

Deus no céu, Deus no céu.

Podemos viver com Deus no céu.

Obrigado, Jesus!

A ovelhinha Tapioca diz:
— Vamos cantar!

Maravilhoso!

Com a ajuda da criança, pensem em coisas que sejam maravilhosas. Celebrem tais coisas e depois digam:

— No céu será ainda melhor!

Vamos conversar

- Conte-me sobre um lugar maravilhoso aonde você pensa em ir.
- Quando um dia você encontrar Jesus, o que vai dizer para ele?

O canguru Pipoca diz:
— É hora de orar!

Querido Deus, obrigado por nos amar e por estar esperando por nós para vivermos juntos para sempre no céu. Em nome de Jesus, amém.

para sempre no céu se acreditarmos em seu Filho, Jesus!

Procure a primeira e a última página desta Bíblia. A Bíblia toda fala de Jesus, do começo ao fim.

— **E**scutem!

— diz Jesus. — Eu venho logo!

Felizes os que obedecem às palavras proféticas deste livro!

— Escutem! — diz Jesus. — Eu venho logo! Vou trazer comigo as minhas recompensas, para dá-las a cada um de acordo com o que tem feito.

Eu sou o Alfa e o Ômega, o Primeiro e o Último, o Princípio e o Fim.

voltará

— Eu, Jesus, enviei o meu anjo para anunciar essas coisas a vocês nas igrejas. Eu sou o famoso descendente do rei Davi. Sou a brilhante estrela da manhã.

O Espírito e a Noiva dizem:

— Venha!

Usando o dedo, siga a luz brilhante que está em volta da ilustração de Jesus.

Aquele que ouve isso diga também:

— Venha!

Aquele que tem sede venha. E quem quiser receba de graça da água da vida.

Aquele que dá testemunho de tudo isso diz:

— Certamente venho logo! Amém! Vem, Senhor Jesus!

E que a graça do Senhor Jesus esteja com todos.

Faça como se você estivesse com muita sede. Jesus é como a água para a sua alma, a parte de você que pensa, sente e crê.

O canguru Pipoca diz:
— É hora de orar!

Querido Jesus, obrigado por saber que um dia o Senhor vai voltar e viveremos juntos para sempre. Ficaremos felizes quando pudermos vê-lo pessoalmente. Em nome de Jesus, amém.

Vamos conversar

- Como você acha que será quando, um dia, estivermos com Jesus o tempo todo?
- Quando você pensa em poder ver Jesus, o que mais o anima?

CONEXÃO
COM Jesus

Não podemos ver Jesus agora,

Água viva

Na hora do banho, leve um copo plástico para o chuveiro e deixe seu filho brincar e despejar a água em cima da própria cabeça. Fale sobre como a água é importante e como esperar para estar com Jesus pode ser como a água que espera ser bebida quando estamos com sede.

A ovelhinha Tapioca diz:
– Vamos tomar banho!

Mal posso esperar!

Ofereça um biscoito para a criança, mas explique que ela só poderá comê-lo quando você permitir. Descreva exatamente qual é o biscoito que ela vai comer. Quando chegar o momento, cumpra sua promessa. Conversem sobre como foi essa espera e, então, dê o biscoito. Depois, fale sobre como é emocionante esperar pela volta de Jesus.

mas ele prometeu que voltará; e as pessoas que o amam,
como nós, viverão com ele para sempre no céu!

SEDE
Av. Ceci, 706 – Tamboré – Barueri, SP – 06460-120
Cx. Postal 330 – 06453-970
Fone: (11) 4195-9590 – Fax: (11) 4195-9591
Ligue grátis: 0800-727-8888
Visite o nosso *site* na Internet: www.sbb.org.br

Sociedade Bíblica do Brasil

BELÉM
Av. Assis de Vasconcelos, 356
Campina – Belém, PA – 66010-010
Fone: (91) 3202-1350 / 3202-1363

BELO HORIZONTE
R. Ponte Nova, 287 – Colégio Batista
Belo Horizonte, MG – 31110-150
Fone: (31) 3343-9100

BRASÍLIA
SGAN 603E – Edifício da Bíblia
Brasília, DF – 70830-105
Fone: (61) 3218-1948
Fax: (61) 3218-1907

CURITIBA
Av. Marechal Floriano Peixoto, 2.952
Parolin – Curitiba, PR – 80220-000
Fone: (41) 3021-8400
Fax: (41) 3021-8399

RECIFE
R. Cruz Cabugá, 481 – Santo Amaro
Recife, PE – 50040-000
Fone/Fax: (81) 3092-1900

CENTRO CULTURAL DA BÍBLIA
R. Buenos Aires, 135 – Centro
Rio de Janeiro, RJ – 20070-021
Fone: (21) 2221-9883 / 2224-3096 /
*   2224-9655*

RIO DE JANEIRO
Av. Brasil, 12.133 – Braz de Pina
Rio de Janeiro, RJ – 21012-351
Fone: (21) 3203-1999 – Fax: (21) 3203-1950

SÃO PAULO
Av. Tiradentes, 1.441 – Ponte Pequena
São Paulo, SP – 01102-010
Fone: (11) 3245-8999 – Fax: (11) 3245-8998

MANAUS
R. Teresina, 80 – Adrianópolis
Manaus, AM – 69057-070
Fone: (92) 3131-3400

PORTO ALEGRE
R. Ernesto Alves, 91 – Floresta
Porto Alegre, RS – 90220-190
Fone: (51) 3272-9000 – Fax: (51) 3272-9004

SALVADOR
Edifício Iguatemi Business & Flat
R. da Alfazema, 761 – Loja 22
Caminho das Árvores – Salvador, BA
41820-710
Fone: (71) 3179-1416

MUSEU DA BÍBLIA
Av. Pastor Sebastião Davino dos Reis, 672
Vila Porto – Barueri, SP – 06414-007
Fone: (11) 4168-6225 / 4168-5849

SOCIEDADE BÍBLICA DE PORTUGAL
R. José Estêvao, 4-B – 1150-202 – LISBOA
Apartado 1616 – 1016-001 – LISBOA
Fone: 213 545 534 – Fax: 213 527 793
info@sociedade-biblica.pt
www.sociedade-biblica.pt

SOCIEDADE BÍBLICA DE MOÇAMBIQUE
Av. Emília Dausse, 527 – MAPUTO
Fone: 21-427291 – Fax: 21-301644
sbmoz@tvcabo.co.mz

SOCIEDADE BÍBLICA EM ANGOLA
Av. Comandante Valódia, 114-A – LUANDA
Fone: 00244 222 44 47 17
Fax: 00244 222 44 33 21
sba.execusecret@netcabo.co.ao